Joleil

9 ans pour toujours

DONNA SENÉCAL

Joleil

9 ans pour toujours

Une expérience de vie d'une mère
dont l'enfant est décédée de mort violente

LES ÉDITIONS LA SEMAINE
Charron éditeur inc.
Une société de Québecor Média
1055, boul. René-Lévesque Est, bureau 205
Montréal (Québec) H2L 4S5
www.editions-lasemaine.com

Directrice des éditions : Annie Tonneau
Directrice artistique : Lyne Préfontaine
Coordonnateur aux éditions : Jean-François Gosselin

Réviseures-correctrices : Andrée Laganière, Marie Théorêt, Audrey Faille
Couverture : Lyne Préfontaine
Infographie : Echo international

L'éditeur bénéficie du soutien de la Société de développement des entreprises culturelles du Québec (SODEC) pour son programme d'édition.

Nous reconnaissons l'aide financière du gouvernement du Canada par l'entremise du Fonds du livre du Canada pour nos activités d'édition.

REMERCIEMENTS
Gouvernement du Québec (Québec) — Programme de crédit d'impôt pour l'édition de livres — Gestion SODEC

© Charron Éditeur inc.
Dépôt légal : troisième trimestre 2015
Bibliothèque et Archives nationales du Québec
Bibliothèque et Archives Canada

ISBN : 978-2-89703-305-7

Je dédie ce livre à ma bienheureuse fille Joleil
et à tout l'univers visible et invisible qui la contient.

INTRODUCTION

Il est vrai qu'il est parfois difficile de tout entendre…

Ça prend du courage !

«Comment fais-tu ?» Cette phrase, je l'ai entendue maintes fois, dans un silence, dans un regard, ou plus encore, dans le chuchotement d'un : «Moi, je ne serais pas capable !»

J'ai toujours eu à l'esprit cette phrase : «La vérité nous rend plus forts et le mensonge tue». Elle viendrait de cette citation de Friedrich Nietzsche : «Tout ce qui ne nous tue pas nous rend plus forts[1]» et du concept d'*amor fati* (l'amour du destin) selon lequel la souffrance et la perte sont nécessaires en ce qu'ils font partie de la vie.

L'application de ces principes m'a permis de me réconcilier avec la réalité, de renforcer mon désir de vivre, d'affirmer mon idéal ; de ne plus me sentir étrangère sur cette Terre, d'aimer mieux et de me laisser aimer, d'être entendue et comprise en tant qu'individu. Selon moi, c'est le plus grand cadeau que la vie puisse offrir.

---

1   Friedrich Nietzsche, *Le crépuscule des idoles, 1888*

En écrivant ce livre, j'ai voulu que surgisse une transmission d'amour, passant de l'humain jusqu'au sacré de la vie et de la mort.

J'ai voulu informer les membres de ma famille sur ce que j'ai vécu de l'intérieur ; pour les autres personnes, il s'agissait de relater ma version des faits et la découverte de mes propres réponses aux interrogations qui ont précédé et suivi le décès de ma fille.

Les traumatismes bouleversent la vie et imposent le changement, que ce soit dans la rencontre avec soi-même, avec l'autre ou avec le monde qui nous entoure. Ce qui change la vie change inévitablement son monde comme l'apprentissage d'un nouveau savoir-faire. Par exemples, le passage naturel de la petite enfance à l'enfance, ou de l'adolescence à l'âge adulte, débuter à un nouvel emploi, se faire un nouveau chez-soi, planifier une vie de couple, la naissance d'une famille, etc.

Pour faire suite à ces observations sur le changement, lorsque celui-ci est draconien, tel un drame associé à la perte subite d'un enfant, il est évident que les repères disparaissent sur tous les plans et que, du coup, toute la vie s'en trouve ébranlée.

Sans référence, sans appui et face à l'impuissance, le déséquilibre s'installe.

REMERCIEMENTS

J'ai la mémoire des noms défaillante. Je m'en excuse. Comme je veux inclure toutes les personnes rencontrées, j'ose espérer que tous les gens concernés se sentiront partie intégrante de la conception de ce bébé nouveau-né.

Je remercie tous ceux et celles qui m'ont accompagnée à la mise en œuvre de ce manuscrit.

Certaines personnes m'ont appuyée. J'ai été soutenue dans ma découverte du monde de l'écriture, de la poésie et de l'édition. D'autres m'ont lue, entendue, écoutée, assistée dans la correction de cet ouvrage et stimulée dans mon élan à poursuivre le projet jusqu'au bout.

Je remercie en tout honneur Julie Maillette de Blainville pour son merveilleux cadeau offert de vérifier l'ensemble de mon travail.

J'ai dû fausser compagnie aux membres de ma famille et à mes amis. Je leur suis reconnaissante d'avoir ignoré mes absences à certaines activités, tandis que je faisais face à la tâche considérable de livrer ma pensée en noir sur blanc, tout en y accordant le plus de soin possible.

Encore mille fois MERCI !

Par discrétion et par égard envers ces rencontres, l'identité des personnages de ce livre n'est révélée. Les rares personnes nommées m'ont gracieusement offert leur permission.

Merci également à tous les gens qui ont participé aux évènements et, durant les recherches, à Jeunesse au Soleil et à la rôtisserie où a travaillé le père de Joleil.

Et à tous ceux dont le souvenir m'échappe, toute ma reconnaissance pour leur éternelle sympathie !

PREMIÈRE PARTIE

Femme, je relate d'abord mon bonheur face aux nouvelles responsabilités de mon rôle de mère. Puis celui de ma vie de maman, heureuse en famille avec une enfant à la personnalité joyeuse et attachante, débordante de force et de vivacité d'esprit.

Ensuite, sa disparition, marquée par la déchirure, le bouleversement chaotique, l'ampleur de la situation médiatisée, les recherches de la population, la découverte de son corps, l'énergie du désespoir à mettre une partie de ma chair en terre, l'enquête et la vie sans Joleil.

Malgré toute la délicatesse avec laquelle j'ai tenté de soupeser mes écrits, avis aux âmes sensibles ! Vous serez bouleversées !

1

HISTOIRES D'AMOUR

— Je l'ai vu, puis ça ne m'a même pas dérangée ! me dit une jeune femme assise bien droite dans son lit tout près du mien.

Je sortais des toilettes et en me rendant à mon lit, je lui réponds d'un air désintéressé :

— Ah ! … Et qu'as-tu vu ?

Elle me dit avoir accouché d'un bébé mort-né. Un garçon, une fille, je ne me rappelle pas.

Stupéfaite, je m'allonge dans mon lit. Confondue, je conserve quand même une certaine retenue.

— Ah oui…

— Ben oui ! Il est là, dans le pot. L'infirmière l'a laissé là.

Je n'ai pas fini de m'installer sous les draps que je dirige mon regard dans la direction indiquée.

Presque au centre de la pièce, sur un chariot, je vois un pot de plastique blanc semblable à un contenant de crème glacée.

Encore sous l'effet de ce que je viens d'entendre, je la regarde, regarde le pot, hésite, puis réfléchis promptement à voix haute.

— Il est là ? T'es sûre ? … *Je veux aller voir !* Ça te dérange si j'y vais ? Je me demande si j'ai le droit… Ça ne se fait peut-être pas…

Elle acquiesce, indifférente, haussant les épaules.

— Bien oui !

Ça me donne toutes les permissions, je n'attends pas. Je me lève et me dirige en vitesse vers le chariot; je crains l'arrivée d'une infirmière. Je soulève le couvercle doucement et je le vois, complet, tout petit, au fond, la peau rose assombrie par des dégradés de bleu. Il semble attendre, comme endormi…

Il ne connaîtra pas l'éveil…

À ce moment, un vif sentiment de tendresse m'envahit.

Ma première pensée : *Moi, si j'étais à sa place, je le garderais!*

Mais, je n'étais pas à sa place. Elle avait accepté d'accoucher avant terme.

Encore troublée et sous le contre-effet du choc de ma situation, j'ai rapidement fait le lien avec ce que je venais de voir et les petits gémissements entendus, quelques instants plus tôt, derrière le rideau qui nous séparait l'une de l'autre.

La vie a de ces avenues pour nous faire rencontrer l'amour!

Ma voisine de chambre me raconte brièvement son histoire. Sa famille ignore tout de son état, venue de la campagne, elle s'est rendue à Montréal en autobus, souhaitant ainsi corriger le cours de sa vie pour ensuite retourner dans son patelin.

Je la comprends, mais je ne suis pas elle et elle ne vit pas mon histoire.

Elle n'a pas encore vingt ans, moi j'en ai un peu plus et ma condition de vie est tout autre.

Le lendemain matin, on s'affaire autour de moi. Le médecin arrive, regarde mon dossier et, l'air contrarié, il demande une vérification sur une possible erreur de dates. Je passe donc une échographie qui révèle une grossesse de deux semaines trop avancée. Résultat, je ne peux subir d'avortement. J'accouche au bout de neuf mois ou j'accouche d'un mort-né, comme ma voisine de lit déjà partie.

Je dois prendre une décision, en très peu de temps.

Et vlan ! La balle est lancée. Reste le coup à donner.

— Vous me laissez quinze minutes pour réfléchir, docteur ?

Je me dirige vers la fenêtre. Et dans une séquence de pensées qui se bousculent, je me rends à l'évidence : les règles du jeu viennent de changer. La marche en avant se présente avec un nouvel itinéraire…

Devant l'équation à résoudre, il n'y a qu'un dénominateur commun : j'accouche. Comme il n'est aucunement question d'accoucher maintenant, je décide donc d'accoucher à neuf mois. Tant qu'à faire les choses, essayons de continuer de les faire comme il se doit. On verra bien.

Retour à la maison où ma condition de vie est à son comble de désorientation, je laisse au hasard tous les choix qui se présentent à moi, certaine de n'être prête qu'aux rendez-vous de courte durée. À l'aveugle et depuis fort longtemps, je dirige ma vie comme un capitaine sur un navire sans voiles ni gouvernail, longeant sans cesse les abords des côtes à la recherche d'un espace où déposer mon ancre, sachant très bien me repérer et où logent les flibustiers.

Un début de vie particulier, une enfance lucide de laissée-pour-compte remplie de questionnements, une adolescence difficile, des études sans grande importance, un mariage raté, des aventures au fil des ans, des rencontres de toutes natures qui m'emprisonnent dans un déséquilibre, le plus souvent en sols vagues et instables. Tentant d'échapper à mon incapacité de me retrouver moi-même, je sais me reconnaître dans une fausse identité bien mal dirigée.

Je passerai les détails de cet espace de vie torturée, tâchant d'y échapper moi-même, et d'épargner en même temps les personnes impliquées. À travers ces bouleversements de vie, je n'en comprends pas encore les bonnes, les grandes et les vraies raisons. C'était important pour moi d'être enceinte, mais...

J'ai assisté à quelques cours prénataux, les neuf mois ont passé sans grand surplus de poids, L'hiver est à peine commencé, j'arrive à mes derniers jours de grossesse. J'ai une belle petite et bonne bedaine. J'apprends que je porte une fille et je suis incapable d'écouter son cœur tellement le mien est à la renverse d'en être déjà rendue à ce stade de ma vie. Je me débrouillerai...
Je remets à plus tard le projet de réorienter ma vie, même si certains autres évènements me tiraillent encore dans tous les sens.

La grossesse se déroule bien malgré tout, mais l'idée de mettre un enfant au monde me semble toujours utopique.

Les contractions arrivent, les plus douloureuses sont aux trente, aux vingt puis aux dix minutes. À mon départ de la maison pour l'hôpital, rien n'est encore acheté ou presque pour la venue du bébé. Pour moi, ce n'est pas encore du concret.

C'est le Jour de l'An, je suis restée à la maison pendant que ma mère reçoit la famille pour le souper chez elle.

Après avoir suivi les indications habituelles et pris mon bain, je me retrouve en voiture, en direction de l'hôpital. Bien assise sur le siège chauffant d'une vieille Volvo, la chaleur du banc me fait sourire et me réconforte le bas du dos. J'apprécie ce petit cadeau de la vie. Il fait nuit. Le cœur affolé, je regarde les lumières de la rue alors que nous traversons la ville, avec ce corps dans mon corps qui persiste à vouloir traverser ma vie.

— Je veux voir mon médecin ! Il n'y aura pas d'examen avant !

— Vous le verrez, madame ! Là, c'est moi qui dois vous faire un examen. Je l'appellerai ensuite pour lui donner plus de précisions sur votre état.

L'infirmière reste là. Elle m'écoute me répéter et essaie de m'ouvrir les jambes alors que je m'efforce de les laisser croisées, serrées, collées.

— Non ! Je veux voir mon médecin ! Personne d'autre ne me fera cet examen !

Hébétée, elle me regarde et abandonne rapidement la lutte. Cette dame a de la rigueur, mais aussi de la souplesse. Je suis soulagée.

Installée dans une chambre au bout du couloir, sûrement en raison de mon hypersensibilité, je la questionne :

— Je suis toute seule !

— Nous ne voulons pas effrayer les autres patientes.

J'ai compris.

Ma mère m'a raconté, plus tard, qu'au téléphone elle m'entendait hurler de douleur lors de mes contractions. Mais des contractions sans douleur, maman, est-ce que ça existe ?

Mon médecin arrive, il m'examine. Puis, je l'entends dire à l'infirmière :

— Le col n'est pas dilaté, elle devrait accoucher... demain soir.

— Ah oui ? ... Docteur, on peut se parler en privé ? Merci ! Maintenant, c'est possible d'avoir une césarienne ?

Sans trop de discussions, il acquiesce : je pèse à peine cent vingt livres, mon bassin est étroit et il est préférable de ne pas trop m'épuiser. La chirurgie me simplifiera la vie et celle du bébé.

Je me suis tue, maintenant plus tranquille, mais quand même un peu gênée. Je cache ma croyance, venant d'aussi loin que je me rappelle, d'être incapable d'accoucher... Le bébé pourrait s'étouffer dans son passage vers la sortie et je veux à tout prix éviter ce risque. De toute ma vie, je n'ai pensé plus d'un instant pouvoir donner la vie comme la plupart des femmes. Pourtant, d'après l'expérience de mes sœurs, j'aurais dû. Non. Ce n'était pas en conscience et je savais profondément que je ne vivrais jamais le bonheur d'un accouchement naturel.

Le chirurgien se présente.
— Bonsoir Docteur !
Il sent l'alcool.
— Est-ce que ça va ?
— Oui ! Et vous ?

Il s'active posément, comme les autres, en préparatifs pour l'opération. J'entends le personnel tout autour, ils se racontent leurs dernières heures de travail ou leur départ de la maison; pour certains, c'était le souper en famille.

Il m'a quand même coupé un grain de beauté en deux, ai-je réalisé en repérant les deux moitiés à quelques centimètres de distance l'une de l'autre lorsque le pansement me fut enlevé plus tard.

À peine réveillée de l'opération, j'éprouve un étrange sentiment de bien-être. Puis dans le langage de ma mère acadienne, ma première pensée fut: «*Mais qui c'est qui m'aime fort de même? Je me sens si en sécurité!*» Je me déplace un peu et une voix se fait entendre aussitôt:

— Ne bougez pas, madame! Attendez, je vais vous détacher...

En sentant le desserrement graduel des muscles de mes bras, je suis peinée de ressentir l'abandon et je réalise, en même temps, que ce sont mes bras qui m'étreignent le corps!

— Quoi? C'est moi qui me serre dans mes bras! Je suis attachée...? Non! Ce n'est pas vrai! Une camisole de force? En plus, j'ai aimé ça...? C'est toute une aventure ce bébé! Est-elle née? Que s'est-il passé?

À la suite d'une réaction aux antidouleurs, j'ai fait une convulsion après l'opération. Restée inconsciente, mais pas inerte, il fallait m'immobiliser puisqu'on m'avait installé une sonde.

Je me rendors, la main sur le ventre pour constater les restes de rondeur.

De mauvaise humeur et encore bien engourdie, je me réveille beaucoup plus tard.

On me chuchote à l'oreille alors que j'ai l'œil à peine ouvert :

— Est bel-le ! Est par-faite !

J'ouvre plus grand les yeux et j'aperçois les visiteurs dans ma chambre. Ils m'observent. Puis l'un d'eux s'élance :

— On s'en va, il n'y a rien à voir ici !

Sous l'effet probable des différents médicaments, j'imagine que je dois avoir l'air encore sonnée. Je suis surtout pas trop contente : ils ont vu ma fille avant moi.

Je me rappelle avoir reçu d'assez brèves félicitations en n'ayant qu'une seule idée en tête :

— Vous allez m'excuser, je n'ai pas encore vu ma fille et je veux aller la voir !

J'avais découvert le nom de Joleil quelques années auparavant. L'amie d'une voisine venait d'accoucher et elle avait prénommé son enfant Joleil. Un garçon. Aussitôt, le déclic s'était fait. J'aimais prononcer ce mot et j'étais d'accord avec sa signification : joie et soleil. Ces mots sonnaient comme une énergie qui me ressemblait. Juste le fait d'entendre le mot me rendait d'humeur joyeuse. Ma décision était prise : mon enfant s'appellerait Joleil.

J'ai dans mes bras ce petit poupon tranquille, cette petite fleur solide, joie du soleil, ma fille Joleil. En admiration devant tant de force et de beauté, je suis presque figée, muette d'émerveillement en observant ce petit être.

Eh ! C'est qu'elle me ressemble ! Timide, je n'ose même pas compter ses doigts. Je sais qu'ils sont tous là, aussi beaux les uns que les autres. C'est elle ! C'est ma fille ! … Là, dans mes bras ! Et je la découvre d'instant en instant, comme dans le visionnement d'un film au ralenti.

Le 2 janvier 1986, la vie m'a offert Catherine Joleil Campeau. Cette enfant, née à 0 heure 44, pèse huit livres cinq onces et mesure vingt et un pouces de longueur. Son teint est rosé, elle a les yeux foncés bien ouverts, le test APGAR s'avère normal.

À son premier biberon et à même cette nouveauté, je sais tout de suite quoi faire et comment le faire ; même son rot. J'ai un petit paquet d'amour dans les bras et je suis tout sourire, remplie de sensations nouvelles.

À la regarder, je sens du coup comme un trop-plein d'énergie se transmettre de l'une à l'autre, comme dans une sorte de vacuum :

« Vvvvvviou ! »

Étrange, ce phénomène ! Je crois que ce fut un instant de fusion, d'âme à âme. J'ai ressenti de l'angoisse devant tant de force et d'amour à la fois. Et dans une sorte de rétractation, je déclarai aussitôt pour ajuster la situation :

— C'est l'enfant avec laquelle il m'est donné de vivre ! Je ne la posséderai pas. Je suis Donna Senécal, sa mère, son parent, celle qui l'accompagnera tout au long de sa vie. C'est sa vie, et je me retiendrai bien de la lui prendre en l'aimant trop ou en l'aimant mal, telle est mon intention ! Ce sera sa vie avec moi et ce sera ma vie avec elle, toutes deux ; engagées dans une liberté d'« être ensemble ».

Très peu de temps après, nous trois, Joleil, son père et moi, rentrons à la maison. J'ai hâte de me retrouver dans mes affaires. Mon frère et ma belle-sœur habitent avec nous et attendent notre retour. Ils sont là, présents, pour m'accompagner dans ce nouveau rôle et je suis bien heureuse de partager ce bonheur avec eux.

À notre sortie de l'hôpital, je constate que c'est la première exposition extérieure de Joleil ; au contact de l'air et de la lumière, je l'informe de ce changement.

— Joleil, nous sommes dehors. La clarté et le froid sur ton visage, c'est le soleil qui nous renvoie sa lumière, même à travers les nuages. Nous sommes en hiver. Brrr… C'est froid ! Hein ?

Bien emmitouflée dans sa couverture, je la porte, légère. Elle a les yeux fermés et je réalise la fragilité de sa petite peau délicate. J'ai failli lui dire autre chose en descendant les escaliers, mais je ne l'ai que pensé : *Ça ne sera pas long, on se dirige vers la voiture, nous serons plus à l'abri à l'intérieur.*

En rentrant à la maison, je lui fais encore une déclaration :
— Joleil ! Nous entrons dans la maison, c'est ici que nous vivons !

Au moment où nous passons la porte, je constate que la vie, avec ses nouvelles responsabilités, est devenue telle que je ne l'avais jamais imaginée.

Je présente Joleil à sa tante et à son oncle, remplie d'une gratitude infinie : Joleil entre au cœur de nos vies.

Je prépare le biberon et je nous installe sur le sofa, attendant le prochain boire. En me relevant, quelle n'est pas ma surprise de ressentir des douleurs intenses à l'abdomen :

— Ah… ! Mais, qu'est-ce qui se passe ?

En vérité, j'avais oublié les recommandations du médecin : une semaine à rester couchée ou assise pour faciliter la guérison des cinq sutures au bas de mon ventre, une à l'extérieur et quatre à l'intérieur. J'indique donc à ma belle-sœur ce qui doit être fait, au cas où elle aurait à le faire à ma place.

Elle s'empresse et fait tout pour que Joleil et moi nous sentions bien. Une vraie maman-poule !

Lors d'une visite à la maison un jour, je remarquai son œil jaloux sur la personne qui portait Joleil dans ses bras, comme si ce beau trésor lui appartenait ! Je sentis beaucoup de reconnaissance de la savoir si aimante envers ma fille.

Lorsqu'est venu le temps de quantifier ses boires, je me mise rapidement en mode solution. Il y a vingt-quatre heures dans une journée et l'idéal est de lui donner à boire toutes les quatre heures. Vingt-quatre divisé par quatre, ça fait six biberons par jour. Maintenant, où commencer ? D'accord, ma petite Joleil, il y a des choses qui ne changeront jamais au cours de ta vie : le déjeuner, le dîner et le souper seront à peu près toujours à quatre heures d'intervalle. J'ajoutai donc les biberons du soir et de la nuit que j'enlevai ensuite, graduellement, dans l'ordre inversé. Ça a marché ! Je me sens devenir mère. Pour ce qui est de la maman, et pour me différencier dans mes rôles par la suite, la maman est celle qui donne les soins, les permissions, les récompenses, les câlins et les bisous.

…

Joleil est un bébé facile. Un bébé sans suce, est-ce normal?

Elle n'a que quelques jours lorsque je lui offre une suce à l'essai. Nous sommes assises sur le sofa. Stupéfaite, je vois la suce projetée au beau milieu du salon! *Non merci, maman, pas besoin. Laisse-moi tranquille avec ça!* m'a-t-elle laissé savoir du regard et du geste lorsque j'ai essayé en seconde fois.

Elle est si petite que parfois, j'ai peur qu'elle me glisse des bras lorsque je la soutiens.

Je l'écoute aussi respirer dans son sommeil. Un matin, son souffle irrégulier m'a inquiétée. J'ai su que c'était normal lorsqu'une infirmière est venue faire sa visite de contrôle.

Je me rappelle aussi ses coliques la première fois. Le ventre dur, contracté, je vivais moi aussi mes premières inquiétudes en dehors de ce qui la concernait. Et elle le sentait… Je me suis questionnée sur ce qui se passait dans sa vie pour qu'il en soit ainsi pour elle. Entendre ses pleurs n'était pas normal. Après avoir fait des liens, j'ai effectué un changement de pensées et, en moins d'une heure, elle s'est calmée, aussitôt rassurée. Aussi, je me suis procuré une petite couverture de laine que j'ai placée sous le drap de son couffin installé au pied de mon lit. Un peu plus de chaleur et de réconfort ne lui feront certes pas de tort.

Joleil était pour moi un miracle. Rien de plus extraordinaire n'aurait pu arriver dans ma vie! Tellement que je me demandais si ce que je vivais était un rêve. Un après-midi, en traversant le salon, sourire en coin, je me suis pincée pour me confirmer dans cette réalité.

Que Joleil soit un miracle, je le veux bien, mais que ce soit moi sa mère, qui vive avec elle ce miracle, voilà un mystère…

Devant tant de joie, je me devais d'avancer et non pas de passer à côté du sens qu'apportait sa vie à ma vie. Je remerciais le ciel chaque jour pour le beau et grand cadeau d'avoir reçu cette enfant et d'avoir le privilège de voir sa vie se dévoiler peu à peu dans ma propre vie. Cette victoire sur la vie me rendait constante d'attentions renouvelées à son égard.

Lorsqu'est venu le temps de changer ses habitudes de sommeil pour qu'elle dorme désormais dans sa chambre plutôt que dans la mienne, je l'ai prise dans mes bras un matin et j'ai fait le tour de sa chambre avec elle :

— Joleil, ici c'est ta chambre et c'est ici que tu vas dormir ce soir et tous les autres soirs. Voici ton lit, ton matelas, tes draps... il est au centre de la pièce. Là, c'est ta commode, où sont rangés tes vêtements ; ici, la table à langer, là, tes couches... Il y a deux portes dans ta chambre : une pour entrer et sortir et l'autre, c'est celle de la garde-robe.

Ouvrant cette porte, je lui indique que c'est là que l'on range les vêtements sur des cintres accrochés sur la tringle.

— Ici, il y a une fenêtre pour regarder dehors, là, des rideaux que je peux ouvrir et fermer. La fenêtre laisse entrer la lumière durant le jour et la nuit, c'est la noirceur. Il y a un store aussi pour tamiser la clarté durant tes siestes. À partir de ce soir, c'est ici que tu vas dormir. C'est ton lit et c'est ta chambre.

Puis, je la dépose dans sa bassinette et lui présente sa doudou, un toutou, son petit oreiller et son mobile au-dessus.

— Ce soir et tous les autres soirs, maman va te coucher dans ton lit pour la nuit, après le souper et le bain. Quand je quitterai ta chambre, je laisserai la porte entrouverte, puis tu feras un beau dodo. C'est comme ça que ça se passera ! Je serai juste à côté, dans la cuisine, dans le salon ou dans ma chambre. C'est d'accord ?

Cela s'est dit, cela se fit! Je lui ai même montré l'entrebâillement de la porte.

Le soir même, je l'ai couchée, bordée en lui faisant de douces caresses. Puis je l'ai quittée en lui rappelant que je serais dans la cuisine au besoin, d'où elle entendrait les bruits auxquels elle était habituée.

Pas un son! Cinq minutes passent, je rentre vérifier sa position, ses yeux sont ouverts. Dix minutes plus tard, elle dormait paisiblement.

Ses couchers ont toujours été similaires par la suite.

...

Joleil a un regard profond. Elle a ce petit quelque chose de particulier que tout le monde semble remarquer, sans pouvoir préciser de quoi il s'agit.

Par exemple, un matin, je décide de lui essayer des vêtements pour savoir s'ils lui vont encore. Elle n'a pas six mois. Je l'habille, évalue la situation, puis la déshabille et recommence avec un autre ensemble. Rendue au troisième essai, elle se raidit et me regarde droit dans les yeux en exprimant de ses sourcils froncés : *Voyons! Tu vas te décider?*

J'ai été si surprise! Je réalise qu'elle me parle, sans dire un mot! Elle me fait sentir ce qui se passe dans son petit univers à elle! Elle a à peine quelques mois! Je me sens vite obligée de lui répondre que j'essaie des vêtements pour voir s'ils lui font encore! *Oups! Je suis désolée, ma fille! Maman a simplement oublié de t'aviser!*

J'ai souvent des rapports semblables et très étroits avec elle. Par exemple, si je fais le mouvement de la quitter ou de disparaître à ses yeux, je m'efforce d'ajouter : « Joleil, maman s'en va chercher cela... et je reviens tout de suite après », plutôt que de lui dire simplement : « Un instant, Joleil, maman revient ! »

Je suis soucieuse de la cohérence entre mes paroles et mes gestes et de l'effet produit sur le développement de sa cognition. Je ne pouvais alors expliquer le pourquoi de mon comportement, mais vingt ans plus tard, avec ma formation d'éducatrice, mon expérience personnelle et professionnelle, je comprends maintenant que cette intuition spontanée entre la maman et son poupon se nomme de l'instinct...

Parfois, je lui chante des chansons. Elle écoute avec une si grande attention ! ... Et si ma voix manque en justesse, elle réagit par signes, avec un muscle de son visage, un clignement d'yeux ou tout simplement en tournant la tête, s'intéressant à autre chose. C'est avec sourire et complaisance que j'apprécie cette proximité ! Je saisis la sensibilité subtile qui l'habite, heureuse de ce grand bonheur dans une communion vivante. Un être si petit peut-il me faire découvrir des choses si grandes, par exemple le respect d'habiter nos faits et gestes ?

Un jour, en plein après-midi, lors d'une promenade dans les allées extérieures d'un marché aux puces, Joleil est assise dans sa poussette. C'est dimanche, il fait beau et chaud. En lui jetant un regard de face, il me semble remarquer un problème dans sa vision. Oups ! Marche arrière, vite au repos et à la maison !

J'obtiens rapidement un rendez-vous en ophtalmologie à l'hôpital Sainte-Justine. En réponse à l'examen, nous ressortons du bureau avec une prescription pour des lunettes correctrices.

Diagnostic : Joleil souffre d'un défaut de vision appelé strabisme, une déviation des axes visuels communément appelée « œil qui louche ». On m'offre un choix d'opticien et j'accepte d'être dirigée vers la porte tout près du bureau du médecin pour la sélection d'une monture. Je n'ai jamais regretté ce choix de praticiens, experts en optométrie pédiatrique. Tout se déroule en quelques instants, on passe aux essais, j'hésite entre deux modèles et opte pour celui à la John Lennon, le contour est rond avec une légère bordure de métal rouge.

Une semaine plus tard, au même endroit, Joleil fait ajuster ses lunettes sur le bout de son nez, puis je les range dans mon sac à main.

De retour à la maison, je lui présente cette nouveauté et, devant le miroir, je lui mets ses lunettes :

— Voilà, Joleil ! Regarde ici, ce sont tes « yeux-lunettes ». Tu fais attention, c'est pour mieux voir.

J'attends sa réaction, puis je la questionne :

— Tu vois mieux ?

Je n'attends pas de réponse, je sais qu'elle voit une différence. Je sais qu'elle ne comprend pas tout ce que je lui dis, mais je suis certaine qu'elle comprend que je lui transmets quelque chose d'essentiel : mon assurance et ma confiance. À partir de là, j'ai surveillé de très près ses jeux. Ses verres aussi, pour qu'ils évitent de passer aux traitements cogne-cogne ou graffigne, surtout durant la période d'emportement et de négativisme du *terrible two,* qui n'a pas été si importante, finalement.

Ma vie de parent n'a pas que de bons côtés. J'évolue dans un environnement qui ne correspond pas encore à une vie exemplaire à mon sens.

Jusqu'à ce que Joleil atteigne l'âge d'un an environ, ma vie est sans cesse assaillie de questionnements qui me tourmentent l'esprit. Tout en préparant tranquillement l'avenir, je me retrouve en présence d'un petit ange, marchant un jour dans la cuisine, la cigarette au bec, histoire de faire comme maman ! La séparation de notre couple a été le coup de grâce à donner.

Je prends dorénavant ma vie en main : je cesse de dire aux autres de mieux vivre leur vie et j'entreprends de refaire la mienne au mieux de mes capacités.

Réagissant à l'absence de son père et à la séparation, Joleil a cessé de rire durant quelques jours. Mais, en même temps ... aucune interdiction de visites paternelles, tant que l'environnement correspond à mes attentes et aux besoins d'une enfant de cet âge.

— Quand viendra le temps, ma fille, tu comprendras ma décision par toi-même.

J'ai bien sûr arrêté de fumer. Et, je me rappelle même avoir jeté tous les cendriers, n'en gardant qu'un seul pour la visite.

2

UNE ENFANCE DE RÊVE

Par un bel après-midi, au début de l'été, je flâne sur le terrain. La fille de mon voisin est dans son entrée et nous échangeons sur nos vies respectives.

— Tu connais le gars là-bas ?

— Lui ? Il est seul, toi aussi ! Va donc le voir !

En effet, notre voisin est seul, beau et grand. Cet homme paraît mener une vie bien tranquille dans sa maison aux allures modestes. Je n'en reste pas là, j'ai besoin d'un transport pour aller faire mon épicerie. Je vais lui demander si je peux l'accompagner à l'occasion !

J'entends, depuis peu, des coups de marteau venant de chez lui. J'entreprends donc d'aller faire une promenade dans cette direction, avec ma fille qui vient de se réveiller.

Par hasard, mon chien ne tarde pas à se diriger directement sur son terrain. En allant le récupérer, je m'excuse de m'introduire de la sorte… Commence alors une conversation qui ne s'est terminée que plusieurs, plusieurs années plus tard.

L'annonce de la vente de la maison que je loue survient ensuite. Nous habitons, Joleil et moi, une rue tranquille en dehors de toute agitation urbaine. Si les nouveaux propriétaires décident d'habiter les lieux, moi, la fausse riveraine, je devrai dire adieu à mon logement mansardé et à son espace magnifique. En effet, dans la cuisine, un mur complet de fenêtres surplombe l'étendue d'eau de la rivière et ses rivages, dans un panorama grand comme un paradis de beauté !

Sur ces rivages, je me retrouve souvent assise avec Joleil, *nos pieds pendants au bout du quai*, à regarder les hydravions arriver ou décoller.

— Regarde. Joleil, tu vois là-bas ? Tu entends le gros bruit que ça fait ? C'est un gros maringouin, géant ! Il y a aussi des petits maringouins qui font des petits bruits et qui piquent !

Au même moment, je donne un petit coup de mon ongle sur la peau de son petit bras pour lui montrer à quoi ressemble une piqûre de moustique. Puis, je lui indique que les gros maringouins comme ça, eux, ne piquent pas.

— Tu vois là-bas ? C'est un hydravion.

La serrant plus forte entre mes jambes pour la retenir, je veux qu'elle reste avec moi sur le quai, je lui fais des signes avec mes bras en croix :

— L'hydravion, lui décolle, vole dans le ciel avec ses ailes, puis il va revenir et glisser sur l'eau. C'est son moteur qui fait ce gros bruit. Bgrr…

C'était le genre de conversation que je tenais avec elle. Sur ce même bord de l'eau, dans un hamac accroché entre deux arbres, nous nous bercions, nous prélassions en écoutant des grands de la chanson française. Par exemple, Fabienne Thibault : *Ma mère chantait toujours, la, la, la…*

Adieu, magnificence !

Je me trouve un appartement, un trois-pièces et demie dans le sous-sol d'une maison avec plus de commodités et située tout près d'un arrêt d'autobus. Sur l'aide sociale, avec les menus moyens que nous avons, c'est le temps pour moi de cultiver le bonheur avec rien de plus que le nécessaire. J'ai en poche trente dollars par semaine pour faire mon épicerie. Nous mangeons nos trois repas par jour et je prépare tout moi-même : soupes, viandes, légumes et desserts. Joleil a sa chambre et moi je dors dans le salon sur un futon transformé en sofa le jour. Nous faisons des promenades au parc l'été et, en plein soleil, elle se baigne dans la glacière remplie d'eau. L'hiver, je la promène dans sa luge. Elle est radieuse ! Je trouve toujours un moyen de lui offrir, dans la mesure du possible, les petits plaisirs de la simplicité.

J'avais décidé d'aller travailler quand elle pourrait parler et me raconter ce qui se passe en mon absence.

À peine haute de ses dix-huit mois, je l'entends un jour balbutier deux ou trois mots bien alignés.

— Non ! Chut ! Toi, tu parleras quand tu sauras ce que tu dis ! Elle s'est tue.

Je ne suis pas prête à quitter le port.

L'année suivante, à deux ans et demi, elle se remet à parler, couramment. Cette fois-ci, je suis prête !

Je rebâtis ma vie dans une nouvelle autonomie que je privilégie par-dessus tout. Jour après jour, je me suis forgé un nouvel équilibre à travers les nouveaux pas de son enfance en croissance. Joleil est ma joie de vivre et je la regarde évoluer tout en me questionnant sur le sens de la vie sociale. J'avais fait la rencontre de plusieurs bonnes personnes auparavant, mais pour m'investir dans une relation à long terme, là non ! Quelque chose me manquait.

Avec Joleil, l'horizon est constamment nouveau et beau à la fois. Je sors complètement de ma coquille en prenant de nouvelles responsabilités. Je décide donc de quitter le nid, avec Joleil sous mon aile.

Je demande une inscription à la garderie et j'adhère à un programme de réinsertion sur le marché du travail. Sur une période de plusieurs mois, je m'engage à suivre un groupe de femmes pour une formation me préparant à un retour au travail après une longue période d'absence.

Le dimanche, veille du départ, toutes sortes de pensées m'envahissent. Bouleversée, je me questionne en pleurnichant : quand Joleil aura des besoins, qui va la comprendre ? Je ne serai pas là pour elle... Tant de scénarios possibles... J'ai pleuré, lamentablement, toute la journée... Avant la fin de la journée, j'avais renoncé au projet.

À ma grande surprise, lundi matin, encore bien endormie, Joleil vient me retrouver et me chuchote à l'oreille :
— Maman, on va à la garderie ?
Mon esprit s'éveille vivement ; il reprend ses commandes.
— Tu veux aller à la garderie ? T'es certaine ?... Toi, ma grande !
La soupçonnant très attentive à ma réponse, je ne prends que peu de temps pour la suivre dans son idée. Nous voilà donc à attendre l'autobus au coin de la rue, ayant conscience de ce moment crucial dans nos vies...

Je la laisse à la garderie avec confiance et je reprends le circuit en direction de Montréal. Fière en plus ! Parce que j'ai de l'argent pour payer ma place et les choses essentielles. Ayant décidé d'arrêter de fumer, j'ai ramassé l'argent que j'aurais utilisé pour m'acheter des cigarettes, en mettant trois dollars dans une boîte chaque jour.

Je suis bien heureuse d'assurer la transition maison-travail sans trop d'inconfort. Puis, Joleil fait la joie des usagers de l'autobus. Souvent, elle fixe quelqu'un jusqu'à ce qu'il lui rende son sourire. Elle est drôle, intense et douce, éveillée aux joies de la vie. Elle s'arrange fort bien pour tisser des liens d'unité autour d'elle. Des gens m'ont confié qu'ils s'assoient devant juste pour la voir…

— Elle fait ma journée ! m'a dit une dame, un jour.

Je garde de précieux souvenirs de ces temps de réorganisation de ma vie personnelle et familiale. Je prends du temps pour m'occuper de moi et de ma fille, tout en consolidant une amitié profonde avec mon ancien voisin.

Attendant l'autobus avec Joleil dans les bras un jour de grand froid, mon cycle féminin se manifeste ; nous sommes au coin d'une rue achalandée, avec ses bruits de voitures et de poids lourds. En racontant ma journée à ma mère, celle-ci en parle avec mon père et ils décident de m'avancer de l'argent et de m'acheter une voiture usagée que je rembourserai en paiements minimes chaque mois. C'est le bonheur tranquille. Je travaille comme secrétaire dans un organisme à but non lucratif à Montréal-Nord, la vie est belle !

Après ce contrat, j'accède à un programme d'études en secrétariat, puis en secrétariat médical. Où me diriger ? J'ai un doigté au piano, au dactylo et des résultats élevés en français. J'avais déjà une expérience comme technicienne de laboratoire en pharmacie, mais ma motivation dans ce domaine s'était vite estompée.

Joleil s'adapte à la garderie malgré quelques défis face à l'autorité. Elle est facilement réactive et ne s'en laisse pas imposer. J'essaie de comprendre son comportement en demandant qu'on note ses agissements. Elle ne fait pas de sieste l'après-midi et s'en amuse. Pour l'occuper, je l'inscris à la prématernelle trois après-midis par semaine. L'autobus vient la chercher et la reconduire, de l'école à la garderie. Un matin, en ouvrant la porte du local, je suis surprise par une éducatrice assise sur une chaise berçante avec un ou deux enfants sur les genoux. J'envie sa chance et son bonheur, s'il en est un pour elle et pour eux !

Certaines éducatrices ont du succès avec les enfants. Je remarque la différence, et ça me remet en cause quant à mes compétences parentales.

Il m'est arrivé une fois de me fâcher contre ma fille au point de lui taper les fesses un soir au coucher. J'ai parlé de l'incident à la directrice de la garderie le lendemain. Elle m'a alors suggéré, à ma prochaine contrariété, de taper le cadre de la porte avec ma main. Si j'ai le regard fâché, Joleil comprendra vite l'expression de ma limite. Quand j'ai essayé et constaté le résultat, j'ai senti la différence dans son attitude. Ce jour-là, j'ai compris que je pouvais offrir autre chose et quelque chose de mieux à mon enfant. J'ai donc commencé à être plus attentive aux motifs de mes comportements envers elle.

— Joleil, il y a des mamans meilleures que moi et il y a aussi des mamans bien différentes de moi. Celle que tu as, bien c'est moi et je fais tout ce que je peux. C'est promis ! Tu vois, je lis des livres, je parle avec des mamans… Je suis curieuse et j'apprends.

Elle me regarda et ne dit mot.

Entre-temps, mon amoureux travaille à un projet sans me donner de précisions sur le sujet. Il vient souvent chez moi et nous passons les fins de semaine chez lui. Nos fréquentations sont régulières, jusqu'au jour où il m'annonce qu'il a quelque chose à me montrer.

J'ai la surprise de découvrir les plans d'une maison qu'il a dessinés pour être le propre entrepreneur du projet de construction en remplacement du vieux chalet quatre saisons. Nous rencontrons un promoteur et divers spécialistes pour nous informer ici et là des procédures. Les étapes se succèdent et se complètent selon l'échéancier prévu. Nous emménageons ensemble après trois ans de fréquentations.

C'est l'été et le début d'un renouveau de vie. Avant de passer à l'étape d'aménager le terrain, il reste à effectuer sa mise à niveau, ce qui ne peut se produire sans la démolition du chalet. Donc, avant de partir travailler, un matin, il me dit comme ça :

— Ce soir, quand tu rentreras, le chalet ne sera plus là.

Ceci dit, cela s'est fait ! À peine croyable ! Rentrant du travail, je me dirige tout droit derrière dans la cour, il n'y a plus rien ; l'espace est vide comme s'il n'y avait jamais rien eu, à part une brèche visible dans le haut du cèdre, laissée par l'empreinte du toit du chalet disparu. Fini le chalet, le terrain est à plat.

Des heures de passe-temps pour enlever toutes les roches avant de semer le gazon; hum, ce fut très méditatif comme activité!

Accepter de déménager est une décision facile à prendre. Mon conjoint est un homme bon pour moi, et pour Joleil il est un «père» aimant, protecteur, gentil et attentionné. Elle l'appelle «papa». Quand le temps s'est présenté, et d'un commun accord, il lui a dit: «Joleil, tu m'appelles comme tu veux.»

Encore à la garderie jusqu'à sa première année scolaire, Joleil va à la maternelle l'après-midi. Elle fonctionne très bien. Sauf qu'à une occasion, son attitude a dérangé la classe au point de soulever, avec mon accord, l'intervention d'une psychologue. Nous apprenons par ses dessins qu'elle réagit à sa relation avec un membre de la parenté que Joleil aime beaucoup, mais qui se refuse à l'idée que ma fille appelle mon conjoint «papa». J'entreprends alors de rétablir les faits en informant la personne concernée de l'embarras de notre situation. Cette demande de respecter le choix de ma fille n'est pas facile. Mais que faire du mécontentement de celle-ci et de son comportement en classe? Sans doute inspirée, j'utilise alors la méthode dure:

— Vous ne voulez pas tenir compte du fait que ma fille appelle mon conjoint «papa»? Nous savons tous qui est son père et Joleil a un besoin qui s'est transformé en problème. C'est moi qui vis avec elle et cette difficulté se poursuit jusqu'à l'école. Si vous ne vous ravisez pas, c'est simple … je vous laisse ma fille. Je viens vous la porter! Ça sera à vous de vous en occuper et aussi de ses problèmes, de ses études, de son école, tout!

— D'accord!

Fin de son comportement inopportun à l'école.

C'est dommage d'avoir eu à utiliser la menace, mais il y a des gens pour qui l'effet est instantané.

Pour le choix de l'école, où la diriger par la suite? L'école publique? Je m'y étais tant ennuyée, même active au sein de la chorale et dans les différents projets des religieuses du couvent. Tout en calculant mon budget, j'entreprends d'autres démarches. L'école privée, c'est dispendieux et je suis la seule à m'occuper de ses besoins. Je l'inscris alors à l'école publique et tente une inscription à l'école alternative, sans savoir vraiment quelle est concrètement la vocation de cette dernière. Une semaine avant la rentrée scolaire, elle y est sélectionnée. Me sentant dans une situation privilégiée, je me questionne tout de même à savoir dans quel engrenage nous nous embarquons, l'horizon est encore vague face à ces nouveaux apprentissages.

Le jour de la rentrée, je la prends en photo avec son sac d'école, en train de monter dans l'autobus d'écoliers arrêté devant l'entrée de la maison. Une nouvelle vie commence pour chacune de nous. Si à son arrivée ma voiture n'est pas dans l'entrée, elle ira chez la voisine pour m'attendre. Cela n'arrive pas souvent, mais chaque fois, je sens chez la dame un immense plaisir à la recevoir. Sans vouloir me répéter, Joleil fait la joie de bien des gens, elle est un p'tit bout de surprises au quotidien que j'ai du bonheur à partager.

Enjouée, toujours souriante, vive et fière, Joleil est une petite fille bien dans sa peau. Elle dégage de la force malgré sa taille! De nature curieuse et toujours joyeuse, elle est attentive, autant dans son intérêt à écouter qu'à apprendre, lesquels ne sont pas toujours égaux à ce à quoi l'on pourrait s'attendre d'une élève modèle et assidue.

Au début de sa vie scolaire, j'observe en oblique son tempérament et ses comportements, afin de mieux comprendre ses capacités et les moyens qu'elle utilise face aux défis que présente dans sa vie ce grand établissement.

Je finis mes études et je commence un travail à temps plein.

Joleil a des devoirs à faire à la maison et je me familiarise graduellement avec la «pédagogie ouverte». Ses résultats en lecture sont spectaculaires dès les premiers jours. Ce qui me surprend, c'est qu'elle semble avoir déjà saisi le principal de l'apprentissage en m'épelant le mot «BIBLIOTHÈQUE» entre autres. Depuis qu'elle est toute petite, je lui fais la lecture en pointant toujours du doigt chaque mot que je lui lis dans ses livres. Mon but premier a été de lui montrer où nous en étions rendues dans le processus de la page à tourner.

Elle a un ou deux défauts, ma grande. Par exemple, elle réagit si les gens la touchent sans son consentement ou encore, elle accourt avec éclats vers les personnes qu'elle affectionne, s'arrêtant promptement à quelques centimètres d'eux. Un tantinet intense, ma belle! Trop à mon avis. Alors, comment s'y prendre autrement qu'en le lui rappelant à tout coup? De l'impulsivité affective tout autant qu'une proximité sélective? Tiens donc! Bonnes questions à se poser sur la provenance de ces traits de caractère!

Elle a aussi un tempérament audacieux: une vraie *tomyboy*, comme le disaient ainsi ses cousines. Aucun problème à la maison, mais à l'école, que de surprises et de rebondissements! Elle désobéit avec grâce et intelligence, sans malice en plus... Par exemple, s'emparer du livre d'un élève et se faufiler dans les toilettes pour lire toute seule et revenir à temps juste avant la fin de la période ou, pour réserver un local pour un travail d'équipe, effacer le nom d'un groupe et le remplacer par le sien sans aviser qui que ce soit. Oh, quel chahut parfois!

Constatant ses résultats et son besoin de faire plus d'efforts en deuxième année, je décide de m'impliquer à son école en réduisant mon temps de travail en tant que secrétaire médicale dans un centre de prélèvements sanguins. Je deviens donc parent co-éducateur. Une formation nous est offerte et je participe à la vie de la classe à raison de deux périodes par semaine, les lundis en matinée et les vendredis en après-midis. Quel investissement dans de nouvelles découvertes que cette implication!

Chaque semaine, dans leur emploi du temps, les élèves ont des cours de base inscrits dans des périodes fixes. Pour remplir les autres cases, ils insèrent des activités destinées à des projets personnels, d'équipe ou de grands groupes déterminés par les jeunes eux-mêmes ou suggérés par les professeurs et parents. Chacun suit son rythme et chaque élève reçoit de l'accompagnement selon ses petits, moyens ou grands besoins.

Je me suis vite rendu compte d'une chose: ma fille semble mener la belle vie à l'école. Elle est vive à contester et vive aussi à vouloir faire les choses à sa manière ou à refuser de les faire tout simplement.

Pas de problème, Joleil, pourvu que tu respectes l'enca-drement, l'environnement et l'apprentissage ! Mais… oups ! … Quelque chose m'échappe ?

Elle a une amie, Lilou, avec qui elle s'entend trop bien; de vraies *best friends* ! Et celle-ci aime un garçon qui prend le même autobus qu'elles. Lui ne s'intéresse pas du tout à ces gamines, sauf pour les protéger des autres élèves au besoin. Lilou elle, en rêve jour et nuit. Elle n'a d'autre sujet d'échanges que ce gar-çon, et elle se trouve souvent dans tous ses états à en verser des larmes d'émotion.

Leur amitié étant devenue intense et complexe, Joleil, en fusion, la suit. Leur attachement l'une pour l'autre est au cœur de cette relation. En questionnant Joleil, je comprends qu'elle tente de protéger son amie.

Depuis son jeune âge, j'enregistre la voix de Joleil au magné-tophone dans le but de conserver les traces de son évolution et pour nous aider à nous souvenir du temps passé, de ses progrès. Je veux des souvenirs, en plus des photos et des vidéos. Au début, c'est moi qui lui lis des histoires interactives ou c'est elle qui chante seule et improvise. Puis sur d'autres cassettes, elle chante ou lit elle-même ses histoires en s'adressant à un audi-toire virtuel ou en échangeant tout simplement avec ses amies.

Lorsque la jolie Joleil est contrariée, à l'école surtout, une des constantes nous révèle qu'elle lève le ton assez prompte-ment, jusqu'au jour où m'étant rendu compte de cette habitude, je la questionne à ce sujet.

— Joleil, lorsque tu es fâchée, pourquoi cries-tu ?

Elle me répond succinctement et avec une telle conviction, pas si naïve que ça :

— Mais maman !... Ça marche !

J'en conclus qu'elle a choisi ce moyen pour se protéger, ne sachant faire mieux. Étant la plus petite du groupe, elle encaisse peut-être plus dans les bousculades. En fait, je ne le savais pas.

À l'école, Évelyne Perras est conseillère pédagogique et elle offre des périodes d'enseignement sur la communication. Elle nous fait découvrir Jacques Salomé, psychosociologue et auteur célèbre, lors d'une première conférence intitulée « Les défis de la communication » offerte aux enseignants de la Commission scolaire. J'apprends l'existence de moyens alternatifs très efficaces pour annihiler les situations personnelles et difficiles de la vie. À nouveau stimulée, je saisis d'instinct la cohérence de ses propos, de ses concepts imagés et l'utilité des outils présentés. Il suffit de les appliquer pour constater des changements opérants.

Plusieurs approches[2] sont utilisées et c'est dans ce contexte que je découvre l'efficacité de ces apprentissages à travers le mode de vie propre à l'école.

---

2 Antoine De La Garandery, « La gestion mentale » dans *Tous les enfants peuvent réussir* ;
Thomas Gordon, « L'approche sans perdant » dans *Parents efficaces* ;
Pierre Audy, *« L'Actualisation du Potentiel Intellectuel »* (API) pour une technique de remédiation cognitive appuyée, en partie, sur les travaux de Piaget sur les différentes opérations mentales ;
Paul D. MacLean, « La théorie des trois cerveaux » dans *Brain Evolution: The Origins of Social and Cognitive Behaviors*, Journal of Children in Contemporary Society, Vol. 16: 1-2, 1983 ;
Jacques Salomé sur « l'hygiène relationnelle » dans *Heureux qui communique, T'es toi quand tu parles* et *Pour ne plus vivre sur la planète Taire*, entre autres.

Par exemple, les approches alternatives employées, autant par les enseignants que par les parents impliqués, ont pour but d'expérimenter au maximum les compétences du soi quant à l'appartenance à son environnement.

C'est dans cette poursuite audacieuse et au moyen de nouvelles prises de conscience que j'arrive au bout de mon univers : je peux envisager les difficultés avec plus d'assurance, en appliquant dans mon quotidien les concepts et les pensées de ces différents auteurs.

Le soir de la conférence, je suis remplie d'une nouvelle énergie : le décor de ma vie s'élargit vers du nouveau à l'horizon. Le bonheur est là, inclus dans la certitude de mon espérance. Je n'ai qu'à tendre la main pour danser sur de nouveaux rythmes et à ouvrir les deux bras en guise d'accueil et d'embrasement. Adieu, l'ignorance !

L'idée que je me suis faite de l'école alternative est qu'elle est innovatrice, expérimentale et démocratique. Ce processus de vivre autrement en collectivité a changé ma vision et mon interprétation de la vie : à commencer par le langage utilisé, les actions responsabilisantes et l'encadrement souple et rigide à la fois, puisque c'est à même les projets qu'opère le processus des apprentissages multiples. C'est aussi toute la cellule familiale qui s'installe ainsi dans la transformation.

Par exemple, lors de la première rencontre de l'année avec les parents, nous sommes assises, Joleil et moi, dans sa classe avec son professeur. Elle est en deuxième année. Celui-ci se tourne vers elle, la regarde et lui adresse lentement une question. Le ton et le rythme semblent soutenir toute l'importance d'une implication, à peine soupçonnée de ma part :

— Joleil, tu viens de terminer un projet. Réfléchis bien. Te rappelles-tu quel est le défi que tu as à relever dans ton prochain projet ?

Je me tourne vers ma fille qui se concentre et, après un court délai, elle répond :

— Respecter mes échéances ? dit-elle, levant la tête en le regardant.

Satisfait, il poursuit… tandis que moi, surprise, je tarde à me relever de ma chaise, obnubilée par l'influence de ce vocabulaire ! Quel impact à long terme une si jeune enfant peut-elle avoir sur ses propres résultats ? Comment en est-elle venue à avoir une conscience aussi élevée des moyens pour atteindre ses objectifs ? Il va sans dire qu'à ce stade-ci, je suis fière d'elle et de mon choix d'enseignement !

La suite, un peu plus complexe, est de répondre, moi, sa mère, à la même question : *Est-ce que je respecte mes échéances ?*

La ligne directrice de la pédagogie ouverte[3] a, malgré ses latitudes, un cadre instauré assez rigide. Malheureusement, sans accompagnement parental, cette structure organisationnelle est téméraire[4], surtout si on cherche à comparer son rendement tangible à celui des élèves des écoles publiques ou privées au niveau d'un cursus scolaire similaire. Profondément, je crois que

---

3   John Dewey, Westbrook, 2000, p. 279. Sa méthode repose sur le «hands-on lear-ning» (apprendre par l'action) où le maître est un guide et où l'élève apprend en agissant. http://id.erudit.org/iderudit/5133ac;
Claude Paquette, *Québec français*, n° 36, 1979, pp. 20-21. Façon innovatrice d'envisa-ger l'acte éducatif dans sa façon de penser et d'agir et qui vise autant la croissance de l'étudiant que celle de l'enseignant.

4   Preuve que la réforme scolaire avec ses compétences transversales des années 2000 n'a pas fait l'unanimité et n'a fait que nuire à ce style d'apprentissage qui est demeuré ignoré et mal compris par plusieurs encore.

les adeptes de ces théories sont des enseignants visionnaires, voire missionnaires ; ce sont surtout des amoureux de leur profession. Sinon, ils ne pourraient s'exprimer comme ils le font et répondre, comme cet enseignant, à ceux qui lui demandent ce qu'il fait dans la vie : « J'enseigne à l'université de petits ! » et moi d'ajouter « *Ainsi qu'à leur famille !* »

...

Joleil, en deuxième année, travaille sur un projet concernant le célèbre peintre Van Gogh. Le but de ce projet se fixe à même le développement de sa recherche.

Finalement, elle cherche à dessiner une chaise, prenant pour modèle l'un de ses tableaux célèbres[5]. Devant ses difficultés répétées, visibles dans ses croquis, elle se fait expliquer lors d'une réunion de famille, l'utilité du point de fuite. Elle peut ainsi reprendre ses dessins et produire un exemple de ses compétences et apprentissages sur l'évolution d'une dizaine d'essais. Présentant son projet à la classe, elle ne manque pas de souligner ses améliorations avec humour, conseillant de ne pas tenter de s'asseoir sur une des chaises de ses premières épreuves.

Un autre projet sur le même artiste-peintre a été approuvé par son enseignant en troisième année. Dans son contrat, que je devais approuver également, elle avait noté, parmi les moyens à utiliser, une visite au musée avec maman.

— Joleil, tu dois me demander si la sortie est possible avant que j'accepte de signer ton contrat. Tu as écrit que tu veux aller visiter le musée de Van Gogh avec maman. Vois-tu, ici au Québec,

---

5 *La création de la chaise,* Van Gogh, 1888. Une de ses trois toiles sur le thème de sa chambre exécutée dans son logis de la ville d'Arles en France.

il n'y a pas de tel musée. En fait, je n'en ai jamais entendu parler. S'il en existe un, c'est possiblement en Europe et pour y aller, du moins pour l'instant, ce n'est pas possible, il faut prendre l'avion pour s'y rendre. Tu sais, c'est toute une organisation, un voyage ! As-tu noté d'autres moyens pour trouver ce que tu recherches ? D'autres endroits où tu pourrais en découvrir davantage sur ce peintre célèbre ?

Avant de nous rendre à la bibliothèque du quartier, nous nous sommes arrêtées pour une location de vidéo. Surprise ! Nous y avons trouvé un film sur la vie de Van Gogh !

L'après-midi même, ma mère l'a retrouvée assise devant le téléviseur, à écouter jusqu'au bout ce film pour adulte portant sur la vie de cet homme d'une autre époque. Elle est à peine âgée de neuf ans...

La grandeur d'âme de ma fille me fascine !

3

L'IRRÉALISME

Lundi 12 juin 1995, Joleil a neuf ans et demi.

En matinée, je fais de la coéducation. Les élèves sont avec Joy, le professeur, dans un autre local pour passer leur examen du ministère et je les accueille au retour dans leur classe. Ma fille s'est volontairement prêtée à l'exercice, acceptant de passer ces tests et mettant les bouchées doubles à ses études. Pour préciser ce choix, en troisième année, les élèves de l'école alternative ne sont pas tenus de passer ces examens. Ils ne le sont qu'en sixième, avant d'entrer au secondaire.

À l'heure du dîner, je vais rejoindre ma fille à la cafétéria. Je tente quelques petites conversations avec elle et sa meilleure amie, Lilou. Je me rends compte assez vite de leur désir réciproque de se retrouver entre elles. Je finis mon lunch et je les quitte aussitôt dans le brouhaha et la joie collective du grand groupe.

Avant de rentrer à la maison, je passe renouveler mon permis de conduire, je viens d'avoir trente-huit ans. Samedi dernier, nous avons fêté mon anniversaire avec parents et amis. Ça s'est terminé autour d'un bon feu de camp dans la cour. Le lendemain, dimanche, encore sous l'effet bénéfique d'une… joie tranquille, je me suis remémoré les évènements festifs tout en remettant de l'ordre un peu partout.

À la maison aujourd'hui, c'est la corvée de jardinage. J'ai l'heureuse tâche de transplanter des impatientes dans la plate-bande en face de la maison.

Joleil arrive en autobus.

Dans la cuisine, elle se prend une collation. Fière d'elle, je la félicite de nouveau pour ses efforts. Peu de temps après, elle discute au téléphone avec ses amis et me demande la permission d'aller jouer chez eux. Ils habitent la rue derrière notre maison. Je lui rappelle notre entente, discutée la semaine précédente : elle doit être de retour pour le souper, à 17 h 30.

— Il va te rester quarante-cinq minutes pour jouer, c'est peu de temps ! Si tu tiens à y aller, tes amis doivent venir te chercher, c'est la condition.

C'est entendu. C'est la fin des classes et, du fait même, le début de l'été. À l'école, dernièrement, ma fille a accompli un travail remarquable. Lui donner cette permission est un pur plaisir pour moi. Il fait si beau et chez nous, c'est le bonheur tout autour.

Au sujet de notre nouvelle entente concernant l'heure du souper, je me suis rendu compte de sa mauvaise humeur à son réveil et je me questionne sur la cause possible de cette situation problématique. Lorsque se présente le moment propice de lui en parler, je tente la chance de la questionner :

— Joleil, j'ai remarqué que c'est difficile pour toi, au réveil, le matin. Je ne suis pas à l'aise avec cette attitude et ça fait plusieurs jours que ça arrive. Tu ne sembles pas contente… Sais-tu ce qu'il peut arriver pour que les choses soient différentes pour toi, le matin ?

Après réflexion, elle me répond promptement :

— Tu pourrais faire le souper plus de bonne heure !

Surprise de découvrir l'assurance de sa pensée, je suis étonnée de sa préférence exprimée d'une façon aussi vive et directe.

— Ah oui … ? C'est ça que tu veux ?

À mon tour de réfléchir. D'habitude, le souper est servi à la fin de son émission de télévision à 18 h 30. Ensuite, ce sont les devoirs, le bain, la lecture ou le jeu tranquille, les bisous et le dodo.

— Je suis d'accord ! On peut essayer ça. Dorénavant, le souper sera servi à 17 h 30.

Ce lundi est la première journée de notre entente. Du balcon derrière la maison, je l'observe au loin, elle essaie d'ouvrir la porte de la remise.

— Le cadenas est verrouillé, Joleil ! Tu ne pourras pas ouvrir la porte !

La clé est restée dans la veste de mon conjoint et il est parti travailler.

Je la vois traverser la cour et je la sens contrariée… Elle a le pas rapide et la tête penchée avec un petit air bourru. Son attitude me fait ébaucher un sourire de compassion, car j'ai connu la même déception trente minutes plus tôt.

— Je ne te vois pas très contente ma puce… Je te comprends… Moi aussi, j'ai un peu boudé comme ça tantôt ! Ce dont j'avais besoin est dans la remise. Je me suis organisée autrement pour faire mes choses. On aura la clé demain… Ça va aller !

— Je ne peux pas prendre mes raquettes pour aller jouer au badminton avec mes amis !

— Hum… C'est plate, ça, je te l'avoue… Je suis désolée, pitchounette !

Elle retourne à l'intérieur de la maison et elle avise ses amis par téléphone. Moi, je sors par l'entrée en avant, pour poursuivre mon travail.

Il fait beau, c'est ensoleillé et le temps est au chaud. Je suis assise sur le gazon devant la maison avec mon outillage de jardinage lorsque, tout à coup, j'entends la porte adjacente au garage se refermer d'un seul trait, puis les petits pas de Joleil courts et rapides s'élançant dans l'escalier de pierres menant à l'arrière de la maison. *Ça semble aller pour elle.* Ce bruit m'indique qu'elle est partie en courant. Je veux lui rappeler notre entente, mais je la sens sur son élan, sur un élan de bonheur d'enfant… et je la laisse aller.

Pendant que j'organise l'emplacement des fleurs, des impatientes rose pâle, j'ai le sourire au cœur. C'est en enfonçant consciencieusement chaque plant dans la terre que j'apprécie tout ce qui se passe dans ma vie. J'imagine ainsi l'été comme la fête qui se poursuit et ces fleurs, comme de grosses bougies rose tendre que j'insère sur un gros gâteau d'anniversaire au chocolat recouvert d'un glaçage vert gazon.

Elle est sortie, partie.

Employée à poursuivre ma tâche, je suis distraite par quelques jappements de notre chien Saki. Ses aboiements ont retenu mon attention, mais sans plus. Il s'est vite tu. Son enclos est situé sur le côté de la maison, en bordure du terrain, près de la clôture. *Je me demande ce qui a provoqué sa distraction. C'est peut-être un écureuil ou un autre petit animal du genre qui est passé tout près.*

Le temps avance rondement ; je termine et range mon matériel. J'entre dans la maison et me lave les mains, le souper est prêt.

J'appelle chez les amis de Joleil quelques minutes à l'avance, afin de lui rappeler son retour au cas où le jeu aurait pris un peu plus d'importance que notre engagement. La mère de l'amie de Joleil me répond que cette dernière n'est pas venue. Bizarre. Il est 17 h 25.

— Elle n'est pas venue ou tu ne l'as pas encore vue ? Elle est peut-être dans la cour ou dans l'entrée ? Peux-tu vérifier avec les enfants ?

Elle dépose le téléphone, l'attente me semble un peu longue, je m'impatiente vite. Elle revient et confirme : « Joleil ne s'est pas présentée à la maison et les enfants ne sont pas allés la chercher. »

— Quoi ? Comment ça ? C'est bizarre… Je ne comprends pas. Je l'ai entendue partir, ils devaient venir la chercher ! … J'arrive.

Dans un bref instant, je m'en veux de la trop grande confiance que j'ai accordée à ma fille et à « mon manque de responsabilité », car … je ne me suis doutée de rien : je n'ai pas vérifié si ma fille était bien partie avec ses amis qui devaient venir la chercher et la reconduire comme c'était le cas d'habitude…

J'éteins le feu de la cuisinière, et je pars aussitôt à sa recherche, laissant la quiétude de côté. Mon incompréhension augmente et je reprends le chemin par lequel elle aurait dû passer, longeant la clôture. Je n'ai que l'espérance ancrée dans ma tête et je suis très tendue. Le voisin en arrière de chez nous est là, juché dans une échelle à la hauteur du toit de sa maison. Je ne le connais pas et je ne le vois pas souvent.

— Bonjour Monsieur! Auriez-vous vu une petite fille traverser le terrain, il y a moins d'une heure environ?

Il relève la tête, regarde autour et me fait signe que non.

Deux dames marchent tranquillement dans la rue, je les questionne aussi: elles ne l'ont pas vue. Je repars, furète du regard tous les alentours, cherchant à comprendre ce qu'elle a pu faire, allongeant mon regard et espérant sans cesse la voir surgir et s'expliquer.

Arrivée chez ses amis, on me confirme qu'elle n'est pas venue. J'ai du mal à y croire et à comprendre. Tout va trop vite. Je l'appelle quand même en faisant un tour dans la maison, un autre dans la cour et dans l'entrée:

— Joleil, Jo-leil!…

Sa petite amie, plus jeune que Joleil, et ses deux frères aînés sont là, poursuivant leur activité et s'arrêtant par intervalles, ne sachant ni trop quoi faire, ni quoi penser.

L'inquiétude perturbe mon souffle et le rythme des battements de mon cœur s'accélère.

D'habitude, nous allons, mon conjoint ou moi, la reconduire ou ses amis viennent la chercher au bout du terrain. Je n'ai pas vérifié les derniers arrangements à son départ.

En jetant un regard aux garçons:

— Vous venez la chercher avec moi ?

Ils semblent perplexes. Nous sommes devant la maison et nous faisons quelques pas dans la rue.

— Venez ! On va prendre les chemins par lesquels elle aurait pu passer !

Moi, je veux refaire le chemin par où elle aurait dû passer. J'appelle en criant :

— JO-LEIL !... JO-LEIL !...

Si elle est là, elle va nous entendre !

En fait, j'hésite à prendre l'autre chemin longeant le bord du ruisseau et je demande aux garçons :

— Voulez-vous aller voir par ce sentier ? Moi, je reprends l'autre...

Je les vois hésiter à leur tour. Pas de réponse, ils rebroussent chemin, puis retournent chez eux.

Je me contente de m'approcher de cet autre sentier. Elle aurait pu le prendre... Mais non, qu'aurait-elle eu à faire par là, seule, sans raison, ça n'a pas de bon sens, nous ne sommes pas en train de jouer à la cachette là !

Je l'appelle encore en criant :

— JO-LEIL ! JO-LEIL !

Je me surprends à résister. Je ne veux même pas m'y rendre moi-même, dans ce foutu sentier ! Et je me trouve même une excuse : j'ai des petits souliers en tissu et il y a un ou deux endroits

sur le sentier où le sol est spongieux et humide. J'irai plus tard...
Je ne réalise pas encore, mais tellement pas ! Pourtant, cette réticence, est-ce une prémonition ? Mais une prémonition de quoi ?
Une petite voix en moi se fait entendre :

— *Que signifie cette résistance ?*

Une impression de chaos commence à m'envahir. Je m'efforce de stabiliser ma pensée :

— *Tout, va... bien... !*

Je m'attends à la voir arriver d'un instant à l'autre. Plus le temps avance, plus s'installe l'impensable notion qu'il s'est passé quelque chose. Ce n'est pas normal, ça ne se peut pas ! Ce serait la première fois qu'elle serait partie seule... Je reviens à la maison, prends mon vélo et je poursuis ma recherche, à la course, le cœur au bord de la dérive, mais prête à me ressaisir.

Un voisin passe lentement en voiture devant la maison. Je lui fais signe d'arrêter. Il baisse sa vitre, je lui demande hésitante :

— Vous avez vu Joleil près de chez vous ?

— Non.

— Je la cherche, la p'tite... !

Ce voisin aime bien Joleil. Poser cette question m'a mise très mal à l'aise. Mais si je la cherche, c'est que je l'ai perdue !... J'ai perdu ma fille !

Joleil est disparue ! ... Non ! C'est comme un mauvais rêve. La tête me tourne, les battements de mon cœur s'accélèrent, puis s'arrêtent promptement. Je me situe entre le choc et la réalité : *Et si c'était... le début d'un vrai cauchemar !...*

Quelle sera la suite ?

Je pédale en direction des voisins qui habitent un peu plus loin de chez nous, chez une autre amie de Joleil. Je regarde à gauche, à droite, j'appelle ma fille en criant de toutes mes forces, sans laisser à l'écho une chance de se taire.

Finalement, une petite voix me questionne : *Est-il possible que ce cri ne serve à rien, que je crie dans le vide ?* Elle doit bien être quelque part, ça ne se peut pas !
— Non, non, non !...

Je scrute les alentours, cherche encore et, dans de très courts intervalles, soupçonne le pire, jusqu'à douter ou cesser de croire en l'utilité de mes actions.

— *Ma recherche ne sera pas vaine, hein ?*
Je doute de la réalité, de tout, en fait : de son absence, de son retour... Je me contiens. Je fais des efforts pour ne pas sentir la terre se dérober sous les roues de mon vélo. Je me concentre sur ce qui est réel : je-suis-à-sa-recherche !
Le souffle saccadé, je regarde partout à la fois. J'avance; mon visage humide fend l'air chaud; c'est l'affolement. J'ai le cœur qui crie dans un souffle, en silence :
— *JE VEUX MA FILLE !!!*

Dans un éclair de quelques fractions de secondes, je me sens en fuite, n'arrivant pas à saisir quelque chose à quoi, du même coup, je ne peux échapper.

Je traverse le boulevard, dépasse la maison de son amie, avance un peu plus loin, crie encore, puis reviens sur mes pas. Je monte les marches, frappe à la porte, je me ressaisis et reprends mon souffle. Les secondes d'attente sont interminables.

Quelque chose me dit que je ne suis pas au bout de mes peines. Par la fenêtre, j'entends des bruits d'ustensiles, ils sont à table. C'est l'heure du souper. Je suis encore mal à l'aise de me tenir là, à questionner... Le père de l'amie en question ouvre la porte.

— Bonjour ! Vous avez vu Joleil ? Elle est sortie tantôt et je la cherche...

— Non.

— D'accord, je vous remercie. Je m'excuse de vous avoir dérangé. Je vous redonne des nouvelles !

Je repars vite en direction de la maison, je n'ai pas deux secondes à perdre en discutant davantage.

Depuis le début de ma vie, Joleil, est ce qu'il y a de plus important pour moi.

...

Je me sens suspendue entre deux mondes :
— Ça ne se peut pas ! Oh oui, que ça se peut !

Mon cœur, mon esprit et mon corps me le rappellent. J'ai chaud, je suis glacée, elle n'est pas là et je file à toute allure, éperdue ! Sans elle... qu'est-ce que cette vie ? Où est-elle ? Comment est-elle ? Que fait-elle ? Non, c'est inimaginable, mais en même temps ... Non !

...

À peine audible, comme dans un doute, une petite voix gênée, étouffée, se fait entendre :

— C'est possible… Joleil, ma fille, ah !…

Je veux en perdre connaissance et perdre conscience de tout ce qui pourrait, à la limite, avoir eu lieu … qu'elle ait fait une rencontre fatale … mais ça me semble impossible, improbable ! Je deviens folle avec de telles pensées ! Je tente de reprendre mes sens, mais lesquels ?

Rien ne va. En même temps, qu'est-ce qui arrive ? Je tourne en rond. Le cœur me débat, on ne peut plus fort. Je ne sais plus quoi penser et je m'efforce sans cesse de me calmer. Je refais une troisième fois le trajet qu'elle aurait dû prendre. Il n'y a personne dans la rue ; ni aux alentours. Je retourne à la maison de plus en plus agitée, croyant avoir fait tout ce que je pouvais. Ça n'a pas de sens ! J'ai besoin d'aide !

— NOOOOOOOONNNNNNNNNN… NON… Non !

4

À L'AIDE !

Je rentre dans la maison par la porte d'en avant. Je l'appelle encore, ma voix résonne, sentant la peine et le désarroi. Pour la première fois, je réalise que mon espoir est bien aléatoire.

Je me sens perdue. Je n'aurai pas de réponse.
Mon cri reste suspendu.
Elle est tellement là mais, en même temps, elle n'est pas là.

Ne sachant plus quoi faire... et à contrecœur, je pense aux difficultés de poursuivre seule... Je décide d'appeler le service de police. Terrifiée, nerveuse, je compose le 911 et je déballe le tout. Il est près de 18 h.

— Oui, bonjour ! J'ai besoin d'aide ! Ma fille de neuf ans devait rentrer à la maison à 17 h 30 et elle n'est pas revenue. Elle ne s'est pas rendue où elle devait aller. Ce n'est pas dans ses habitudes. Je l'ai cherchée partout, je ne comprends pas ! ...

...

— J'ai fait le tour trois fois, je suis passée par le chemin où elle aurait dû passer, j'ai demandé aux voisins s'il l'avaient vue

… Il s'est passé quelque chose ! Ce n'est pas normal ! Ça ne se peut pas !

— Restez chez vous, madame, je vous envoie quelqu'un.

Je suis sortie en avant de la maison pour attendre l'arrivée des policiers.

En faisant le va-et-vient dans la rue, j'ai prié les larmes aux yeux, et j'ai commencé à trembler.

— *Non, non, non ! Mon Dieu, non ! Ça ne se peut pas ! Je dois m'en tenir à l'évidence. Si oui, Seigneur, mon Dieu que tu dois m'aimer pour m'éprouver de la sorte ! Ça n'a pas de bon sens de faire vivre ça à quelqu'un ! Non, ça ne se peut pas. Je vais avoir besoin d'aide, là ! Ton estime pour moi est bien trop grande ! Qu'espères-tu de moi ? De nous ?*

Je reviens sur le palier de l'entrée, j'ai besoin de m'appuyer sur du solide, de me recroqueviller ; je suis tétanisée, angoissée, accroupie le dos appuyé contre le mur de briques. « Si ce n'est pas du désespoir, c'est quoi ça ? Qu'est-ce que je vis là maintenant ? » Le temps ne peut plus faire marche arrière. Et mon corps s'écrie en silence dans un hurlement sans fin… *Nonnnnnnnnnn…*

Une voiture de police arrive, je viens les rejoindre, me sentant à la fois en contrôle et bouleversée. Ayant épuisé mes moyens, m'abandonnant à la situation, impuissante mais pas seule, nous sommes entrés dans la maison. D'autres policiers sont arrivés.

— Ne vous inquiétez pas, madame, les recherches sont commencées !

Ils inspectent la maison dans ses moindres recoins : le grenier, le terrain, la cour... Ils sont en communication constante avec l'extérieur. Ils se transmettent des informations à mesure que j'explique ce qui s'est passé depuis le début de la journée. Par la fenêtre du salon, j'aperçois six, sept, huit, dix voitures de police stationnées en avant et dans la rue. Devant tout ce déploiement, je laisse tout entre leurs mains, me sentant abandonnée, l'âme à vide ...errante.

— Restez ici, madame, quelqu'un va vous accompagner en permanence, vous ne serez pas seule, nos hommes s'occupent des recherches. Avez-vous avisé votre conjoint ?

— Non, il est au travail... Je l'appelle...

L'énormité de la situation est à son comble.

— Oh non ! .... Que va-t-il se passer ? Mon conjoint, le père de Joleil, les voisins, la famille... Joleil est tellement aimée de tout le monde ! Ma fille Joleil, si vivante, si souriante !

Chaque fois que je rencontrais quelqu'un, on me disait :

— Bonjour ! Comment va Joleil ?

Qu'en sera-t-il maintenant ?

...

Figée, j'observe tout le monde dans l'action et je réponds à toutes les questions.

Différentes personnes du service de police me sont présentées. Au fil du temps, on me pose et repose les mêmes questions, on me demande des photos... Ils s'immobilisent et je comprends qu'ils précisent la direction des procédures.

Quelqu'un est venu à la porte me demander un vêtement porté par Joleil pour les chiens pisteurs.

Que peut contenir le silence lourd et infini d'une mère, lorsqu'elle regarde le vêtement de sa fille en le tendant à quelqu'un qui est censé partir à sa recherche parce qu'elle est disparue ?
— Vous allez me le ramener ? … Je regarde le vêtement… et l'homme qui part avec…
— …je veux dire, ma fille… Laissai-je tomber dans un état de désorientation totale.

Nous restons seules ; la policière et moi.

Elle surveille la situation et remplit des papiers. Elle répondra à mes questions et notera mes propos dans son rapport. Je fais les cent pas, rigide.

Je dois faire quelque chose. Bouger. Je décide donc de faire une brassée de lavage. Je parle avec la dame, lui raconte des petits bouts de ma vie de maman avec Joleil… En étendant les vêtements de Joleil sur la corde à linge, je hume le parfum de la lessive et j'espère son retour en l'imaginant dans des vêtements propres, frais et odorants. En même temps, j'éprouve un léger malaise, un sentiment de doute alors que je tends les bras vers la corde, un vêtement dans une main et deux pinces à linge dans l'autre, comme si l'indescriptible réalité avait du mal à s'installer dans mon esprit.
J'hésite un peu, puis : *Se pourrait-il … que ce soit … le dernier lavage des vêtements de ma fille ? La dernière fois que je lave son linge ?*

Je ferme les yeux : *Le dernier lavage…*

Ce n'est pas dans le courant de la vie d'avoir de telles pensées. Puis, subitement, je repense à ma décision, plus agitée : *Et, si je les avais lavés trop vite et que je ne puisse plus respirer son odeur ?… Ai-je tout lavé ?*

Je vis ces moments dans la plus complète aberration.

Joleil, me faire faux bond ? Elle a du « taquin », mais pas à ce point ! Elle sait désobéir avec intelligence, mais, là… non ! Je n'y suis pas, et ça ne tient pas debout toute cette pagaille !

Vers 19 h 30, un policier rentre, va voir la policière, puis vient vers moi. Je ne remarque pas tout de suite qu'il tient quelque chose à la main. Il me demande en me tendant l'objet boueux :

— Reconnaissez-vous cela ?

Je me situe rapidement et fait immédiatement un lien douloureux :

— C'est à elle ! C'est sa ceinture ! Oui ! C'est celle qu'elle portait aujourd'hui !… C'est la ceinture de ma fille… C'est… celle de Joleil… dis-je en regardant, décontenancée, ce qu'il en reste.

La ceinture tressée aux couleurs vives de ma fille était maintenant brune, complètement enduite de boue… Toutes les couleurs avaient disparu, et Joleil aussi.

Ce jour-là, elle portait cette ceinture, avec une salopette lilas et un t-shirt blanc.

En fixant tristement sa ceinture, je me rends bien compte du tournant de la situation, osant à peine imaginer les instants qui ont précédé le drame, maintenant devenu possible, et sans que j'aie été là pour elle. Que se passe-t-il en ce moment ? Que s'est-il passé ? Et que se passera-t-il maintenant ?

Mon univers vient d'éclater en deux, je suis au centre, je n'existe que dans un espace flottant… envahi de pleurs. Entre deux mondes reliés par mes larmes…

Je veux lui reprendre la ceinture de Joleil, la lui enlever des mains, la caresser de mes doigts, l'embrasser… La laver et retrouver ses couleurs, la serrer contre mon cœur, faire marche arrière. Mais, je me retiens. C'est une pièce à conviction à consigner au dossier, un élément de preuve…

À ce moment, le rythme de ma pensée passe de l'accéléré au ralenti. Entre ces deux temps, un bourdonnement sourd résonne à mes oreilles, comme si j'étais engloutie dans un aquarium. Je me rends à l'évidence : quelque chose de grave est arrivé à ma fille. Il n'y a plus de doute pour moi. Quoi qu'il lui soit arrivé, mieux vaut qu'elle soit morte. Fatalité du sort ! Sinon, comment pourrons-nous survivre, comme avant, à ce qui lui est arrivé ? Que se passe-t-il pour elle, là maintenant, en ce moment ? J'ose à peine imaginer sa frayeur, sa douleur, sa détresse. Tous les scénarios deviennent possibles !

Je me tiens à deux mains, les yeux fermés, sur le rebord de la cuisinière pour me contenir. Je tourne le dos à la policière. C'est alors que le dégoût s'empare de moi : ça se met à bouillir par en dedans et, en une fraction de seconde, je frappe d'un solide coup de poing le milieu de la plaque.

— BANG !

Ça a fait un de ces bruits ! Les quatre ronds ont levé d'un coup, et la policière aussi. Elle a bondi de sa chaise et s'est fâchée contre moi. Aussi se permet-elle de m'indiquer de ne plus recommencer ! Et je lui réponds en la pointant du doigt :

— Vous !… C'est à moi que ça arrive ! Et ça, ça m'appartient ! Je vis ce moment du mieux que je le peux, croyez-moi ! S'il vous plaît ! Je regrette le dérangement et je ne le referai plus. Maintenant que c'est fait, je m'excuse ! Ce n'était pas dans mes intentions de vous faire peur.

Silence lourd, tremblements, peur et pleurs s'entremêlent.

Ça me soulage, pour un court instant… Mais, je suis juste… un peu plus… désespérée qu'avant.

On a ensuite parlé pour tenter de raisonner, mon geste et la rage contenue dans mon impuissance face aux évènements. Je ne peux rien faire d'autre qu'attendre.

Quoi espérer ? Dans tout ce dérangement, je suis emportée dans un tournoiement incessant…

Épuisée, du coup, j'ai senti tomber toutes mes barrières et d'autres, se relever. Dans quel état peut bien se trouver Joleil ? Quelque part dans mon esprit, je veux ignorer l'impensable issue, me sentant coincée dans cet engrenage. Je ne peux imaginer sa souffrance, je ne peux imaginer qu'elle puisse être dehors à cette heure tardive, exposée aux moustiques. Juste pour arroser les fleurs en cette période de l'année, chaque bout de peau doit être enduit de chasse-moustiques. Et ça fait des heures que nous attendons son retour.

Dans quel état me reviendra-t-elle ? Si elle me revient !

On parle de disparitions et d'hypothèses; toutes plus épouvantables les unes que les autres. J'entends même un policier me dire:

— Il y a un des voisins dans votre coin qui aurait violé cinq ou six enfants.

— Quoi? Que me dites-vous là? Et c'est maintenant que je l'apprends? Comment se fait-il que ces informations nous soient cachées et que personne ne sache ça? Un voisin?!! Qui???

J'abandonne tout autre commentaire.

...

Le malheur nous a rejoints: elle, la rue, la ville, le quartier, l'école, la vie… Je ne sais plus quoi penser, je suis dans un monde parallèle, démolie par l'incohérence en doses à peine imaginables!

La disparition de ma fille passe rapidement aux nouvelles de 22 h à la télévision.

Chez mes parents, ma mère se réveille autour de minuit. Elle voit mon père réveillé:

— Que fais-tu? Tu ne dors pas!

— Non! Pas après la nouvelle que je viens d'apprendre à la radio.

— Quoi?

— Joleil a disparu. Ils ne la trouvent pas.

Ma mère s'est levée, est allée à la cuisine. Mon père lui signifie qu'elle peut aller se recoucher.

— Non. On y va!

Elle prend le téléphone et m'appelle :

— Est-ce vrai ?

Je lui réponds :

— Oui, maman ! Tu devrais voir… Il y a beaucoup de voitures de police devant la maison.

Ça, c'était vrai.

— J'arrive !

De quelle façon les autres membres de ma famille ont-ils été mis au courant et quand se sont-ils présentés sur les lieux ? Je ne m'en souviens pas.

Vers 3 h du matin, on me demande d'appeler chez la meilleure amie de Joleil, Lilou, pour me faire confirmer qu'ils ne l'ont pas vue. Ça ne me tente pas du tout. Et ça ne tient pas debout cette idée.

— Mais, ils dorment à cette heure-ci !

On ne m'a pas laissé le choix. Résignée, à contrecœur, j'appelle chez Lilou. Son père décroche, répond, endormi. Je sais qu'ils ne l'ont pas vue. Quelle question ! Ils m'auraient appelée !

J'ai appris beaucoup plus tard qu'ils s'étaient rendormis croyant avoir fait un mauvais rêve. Je lui réponds :

— Je me rappelle vous avoir appelé. Ça n'avait tellement aucun sens ! Mais, ce n'est pas moi qui vous ai appelé ; c'était une autre que moi.

À quel moment ai-je commencé à pleurer ? Difficile de se remémorer. Mais, je me rappelle avoir pleuré plus d'un déluge. J'ai pleuré tout ce que j'avais de larmes ! Passant de l'abattement à l'ennui, de la douleur à la peine, de l'incompréhension à la tristesse la plus profonde, tout en me raccrochant au bonheur de l'avoir eue et à nos si nombreuses joies vécues ensemble... Il me restait les souvenirs de ce bonheur : ceux d'avoir été sa mère, ceux d'avoir eu Joleil dans ma vie pendant neuf ans et demi.

Ma mère est arrivée, elle s'est effondrée dans mes bras.

— Maman, si tu n'es pas capable de vivre ça, va voir quelqu'un d'autre. Je ne peux pas te soutenir et endurer que tout le monde s'écrase sur moi !

Je m'en voulais de cette pensée envers ma mère et de tous ces évènements, mais...

J'ai dirigé ma mère d'un geste et du regard vers ma sœur pour qu'elle prenne le relais. Ma mère s'est redressé la colonne et s'est tout de suite remise de ses émotions. C'était ahurissant de constater la douleur que peut subir toute une famille à la perte subite d'un de ses êtres chers. Je m'en veux qu'ils aient à vivre ça !

Plus tard, elle a décidé de rentrer :
— Je suivrai les évènements à la télévision.
— Je te donnerai des nouvelles, maman ! Je t'appellerai. Merci !

...

Que dire ou penser du travail des policiers durant leur affectation au dossier de Joleil ? De mon point de vue, en plus d'avoir à chercher une enfant, ils ont cherché des preuves, un motif, des aveux de ma part ou de la part de mon entourage d'abord, puis dans le vague ensuite. Je suis la dernière à avoir vu Joleil. Je suis un témoin principal dans une cause de disparition ou peut-être d'enlèvement, d'inceste, qui sait ? On ne connaît qu'une partie du début de l'histoire, mais pas le milieu ni la fin !

À un certain moment de ce grand bouleversement, plusieurs policiers sont dans le salon et quelqu'un nous demande la permission de mettre ma ligne téléphonique sous écoute au cas où l'on nous appellerait pour nous demander une rançon.

Là, je sors de mes limites. Je trouve qu'on y va assez fort !

Si l'on me demande la permission, c'est que j'ai le droit de refuser ?

Je réponds au policier :

— Non ! Monsieur ! ... Il n'y a rien qui indique, à l'heure actuelle, qu'il s'agisse d'un enlèvement pour une rançon. C'est assez ! J'ai besoin d'intimité.

La maison était toujours pleine de monde. Toute ma vie s'est retrouvée à nu, chavirée. Nous sommes envahis de toutes parts. Je me garde une petite intimité. S'il vous plaît !

— Si le téléphone sonne pour une rançon, ils rappelleront !

Alors, les policiers m'ont gentiment indiqué un code à composer si je voulais repérer un appel. Ils ont compris quelque chose : j'ai atteint mes limites.

Comment garder son esprit clair dans la démesure et dans de telles circonstances ?

Dire que toutes les options ont été envisagées est véridique. Dans l'ensemble, les policiers ont fait leur travail. Je savais qu'ils cherchaient, mais chez moi, ce n'était pas dans la bonne direction. Le déchirement de ne pas être avec ma fille me faisait déjà assez mal, de me sentir soupçonnée en plus était intolérable.

Pour m'aider, j'essayais, à travers mes pleurs, de relâcher la tension de mes muscles crispés par le stress et l'angoisse. Que dire de l'abattement !

Que sera le retour en classe des élèves le lendemain à son école ? Je ne peux imaginer la consternation. Quel impact sur les professeurs, les jeunes, ses amis, les familles, les voisins ! Hochant la tête, j'abdique et me recueille dans le néant et l'abnégation, incapable d'imaginer la réalité.

— *Non, non, non !* ...

J'ai du mal à me l'avouer, mais je suis dans un virage à cent quatre-vingts degrés. Plus rien ne sera jamais pareil. Oui, si la vie continue, la mienne vient de s'arrêter. Suis-je en train de vivre la mort de ma vie de mère ?

En même temps que je repousse les journalistes, tout s'accélère pour les recherches. Une dame de l'organisme Enfant-Retour veut venir prendre mes coordonnées et celles de Joleil. C'est un groupe de soutien et de recherche pour les familles d'enfants disparus. Ces gens fournissent des affiches à distribuer dans les commerces, dépanneurs, postes d'essence, sur les poteaux... un peu partout dans la région.

Je suis désolée, mais même si ces gens sont coopératifs, mon accueil est assez malaisé. J'ai une attitude négative au début, puis douloureusement positive par la suite. Pourtant, je sais que cette aide nous est précieuse !

On m'offre deux toutous afin d'atténuer ma peine et des épinglettes à distribuer. Autant je les aime, ces toutous, autant

je ne peux que les regarder de travers. Ce n'est pas ç
soulager la peine de la perte de ma fille.

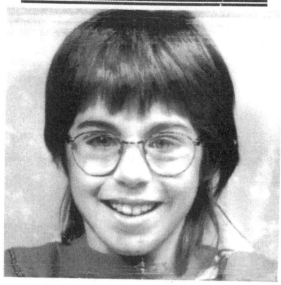

JOLEIL CAMPEAU

DISPARUE / MISSING

JOLEIL CAMPEAU
DISPARUE: LUNDI, LE 12 JUIN À 18h00
MISSING: MONDAY, JUNE 12, 6:00

ÂGE:	9 ANS	AGE:	9 YEARS
GRANDEUR:	128 CM (4'3")	HEIGHT:	128 CM (4'3")
POIDS:	27,3 KILOS (60 LBS)	WEIGHT:	27,3 KILOS (60 LBS)
COULEUR DES YEUX:	BLEUS	EYE COLOUR:	BLUE
COULEUR DES CHEVEUX:	CHÂTAINS	HAIR COLOUR:	LIGHT BROWN
	(CHEVEUX COURTS AVEC TOUPET)		*(WORN SHORT WITH BANGS)*
LUNETTE :	MONTURE BRUNE	GLASSES:	BROWN FRAMES
PEAU:	CLAIR	SKIN:	FAIR
LANGUE PARLÉE:	FRANÇAIS	LANGUAGE:	FRENCH SPEAKING

SIGNES PARTICULIERS/
OUTSTANDING CHARACTERISTICS

➤PETIT GRAIN DE BEAUTÉ SUR LE DEVANT DU COU

➤SMALL BEAUTY MARK ON FRONT OF NECK

➤LES DENTS INFÉRIEURES LÉGÈREMENT CROCHES

➤LOWER TEETH SLIGHTLY CROOKED

LORS DE SA DISPARITION, ELLE PORTAIT: /
LAST SEEN WEARING:

➤SALOPETTES MAUVES COUPÉES AUX GENOUX
➤T-SHIRT BLANC AVEC MOTIF MAUVE SUR CÔTÉ SUPÉRIEUR À DROITE
➤CHAUSSETTES BLANCHES
➤SOULIERS DE COURSE VERTS
ᴱ PORTAIT PAS DE BIJOUX
ᴾORTAIT PAS DE PORTEFEUILLE, SAC À S, SAC À DOS, ETC.

➤MAUVE OVERALLS CUT OFF AT KNEES
➤WHITE T-SHIRT WITH MAUVE MOTIF ON TOP RIGHT HAND CORNER
➤WHITE ANKLE SOCKS
➤SOLID GREEN RUNNING SHOES
➤NOT WEARING JEWELLRY
➤NOT CARRYING WALLET, PURSE, KNAPSACK, ETC.

COMMUNIQUEZ AVEC LE : (514) 280-1616
PLEASE CONTACT: LA POLICE DE LAVAL

Je ne mange plus. Ou très légèrement; ça ne passe pas. Je me prépare du lait avec des protéines en poudre et je prends des vitamines de façon régulière. Quelqu'un m'a offert un léger somnifère une fois. Je suis devenue somnolente et je n'ai pas aimé ça. Je n'en ai pas repris. Je veux vivre les évènements en étant consciente et la plus présente possible. Mon beau-frère nous a préparé une soupe aux légumes maison, merci encore! Je me souviendrai de ce réconfort avec tendresse toute ma vie.

Je tremble par en dedans. Démembrée, je suis tristement heureuse d'avoir autant d'aide et, en même temps, je n'existe plus. Je repousse toujours les journalistes et beaucoup de gens circulent autour de la maison, dans la rue, des médiums surtout.

Un après-midi, on sonne à ma porte. Deux dames sont là et l'une d'elles m'annonce:
— Madame, je suis voyante. Je vois votre fille appuyée contre un arbre et elle pleure. Ses lunettes sont tombées par terre, cassées.

Je veux juste crier.

Je les regarde et je me retiens, en pensant: *Cette vision c'est la sienne, ce n'est pas la mienne. Moi, ma vision, c'est qu'il y a deux femmes à ma porte...*
— Mesdames! Si vous voyez ma fille, pourquoi êtes-vous ici chez moi? Pourquoi n'allez-vous pas la chercher? Il y a plein de voyants et tout autant de visions! S'il vous plaît, ne venez pas me déranger pour me faire vivre une douleur comme celle-là sans savoir si en plus, c'est vrai ce que vous me dites. C'est tellement affreux!...

Je suis désolée et un peu peinée pour elles. Au fond, je comprends bien leur désir d'aider...

J'ose tout de même m'imaginer partir à la recherche de ma fille avec elles, mais tout ça n'a aucun sens! Où se diriger? Juste d'y penser... J'ai comme l'impression de glisser, ma conscience oblitérée, dans un univers dont je ne comprends plus le langage.

...

Le poste de commandement du service des enquêtes policières s'est déplacé dans la rue et un peu plus loin par la suite. Puis ils ont voulu le retirer complètement.

— Non, non, non! Il n'en est pas question! Les recherches ne peuvent cesser! Joleil n'a pas été retrouvée!

Les policiers nous demandent de participer à une conférence de presse. Nous acceptons, le père de Joleil et moi. Une table et des chaises sont placées en plein centre de la rue. Les policiers se sont adressés aux journalistes. Je croyais qu'on me poserait au moins une question. Non. Quand même, à la fin, après avoir entendu sans écouter vraiment, fatiguée et connaissant le discours, j'ai levé la main pour parler et demander de l'appui, car dans mon esprit, les recherches devaient se poursuivre.

— Je peux dire quelque chose? ... J'ai une demande à faire à la population. S'il vous plaît, si vous voulez faire quelque chose, chacun, pour les recherches, prenez quelques minutes de votre temps pour regarder au fond de votre cour, derrière les remises, partout où elle pourrait être cachée. Ça ne se peut pas! Elle est quelque part! J'ai fait un rêve cette nuit: il y avait une porte noire tombée par terre, un cabanon, je ne sais pas… Joleil, il y a beaucoup de monde qui est là pour toi. Prends tout l'amour qui t'est offert. *Tough love*[6], ma fille !

J'étais atterrée et dans une désespérance totale pour demander aux gens de faire des recherches que je refusais de faire moi-même. Retrouver un enfant mort, souffrant ou blessé, est-ce que ça tente à quelqu'un de vivre ça ? Je m'enfonçais de plus en plus…

Par la suite, un enquêteur m'a questionnée sur le sens de l'expression que j'avais utilisée : *Tough love !* En fait, j'avais improvisé parce que je n'y avais jamais pensé en français.

— C'est simple, monsieur. L'amour n'est pas toujours facile et il se peut que ça soit difficile à comprendre et à assumer dans l'ensemble. D'âme à âme, je souhaitais à ma fille de trouver et de garder une place dans son cœur pour l'amour avec un grand « A », malgré la dureté des évènements…

…

Je m'entretiens ensuite avec mon conjoint pour la suite des évènements :

— Si la police arrête les recherches, nous devrons nous organiser.

J'appelle un de mes beaux-frères, il a été capitaine dans l'armée. Veut-il prendre en main les recherches à organiser ? Il me répond que son horaire de travail ne le lui permet pas. Qui

---

6 L'expression telle qu'utilisée a un autre sens en anglais, celui de : « qui aime bien, châtie bien » ou de « fermeté affectueuse ».

d'autre ? Je demande à la sœur de mon conjoint, elle habite la région de Québec. Je l'appelle.

— Les policiers vont cesser les recherches. Accepterais-tu de prendre la relève ? On ne peut continuer sans direction. Je sais que tu peux relever le défi ! Mais oui, tu le peux !

En quelques secondes, elle accepte, et tout de suite son arrivée à Laval est prévue avant la fin de la journée. Demain matin, elle sera chez moi.

Le lendemain, en me levant, je veux communiquer nos intentions au grand public. À quel animateur de radio devrais-je m'adresser ? Pierre Pascaud à CKVL. Il est important de lui parler.

Quelques secondes plus tard, la sonnerie du téléphone se fait entendre, c'est sa préposée aux relations publiques. Quel synchronisme !

— Madame Campeau ?

— Oui. Non. Je suis Donna Senécal, la mère de Joleil Campeau. Campeau est le nom de famille du père de ma fille.

— Excusez-moi, Madame Senécal, je suis désolée. Acceptez-vous de passer en ondes avec Pierre Pascaud dans quinze minutes ? Il désire vous parler.

— Bien sûr !

Au même instant, le conjoint de ma sœur me remet un numéro de télécopieur. Nous prenons la situation en main. Le temps file vite quand il y a quelque chose qui se passe ! Ma coiffeuse arrive et m'informe qu'elle veut également s'impliquer. Je la mets au courant des derniers préparatifs. Elle me demande de lui faire confiance, elle peut utiliser ses contacts avec les gens de la ville. Je la mets en communication avec ma belle-sœur, elles s'organiseront ensemble.

En peu de temps, j'apprends qu'un local sur une artère principale de la ville nous a été attribué pour la cause et que le poste de coordination des recherches se situera à cet endroit.

Les médias sont mis au courant de ce branle-bas de combat incluant l'appui de la population. Des attroupements de gens arrivent de partout. Ils sont dirigés par groupes selon les endroits déterminés par les officiels. La question de sécurité est soulevée. Qu'arrivera-t-il s'il y a des blessés dans une telle situation de déplacement de masse? Le service de police doit reprendre l'opération. C'est un précédent!

Lorsque je me rends au local pour constater l'ampleur du travail, j'aperçois aux murs d'immenses cartes de la ville sectionnées et numérotées.

Des bénévoles de tout acabit se présentent et se font offrir un poste selon leurs compétences et qualifications. On s'empresse autour des grandes tables, des bureaux, téléphones, walkies-talkies[7], télécopieurs, affiches, papiers, photocopieurs, panneaux, crayons, punaises et... des caisses de fruits et légumes pour le soutien des troupes. Des imprimeries se sont offertes pour produire des centaines d'avis de recherche avec la photo de Joleil et ses coordonnées.

---

7   Émetteurs-récepteurs radio mobile.

On a eu recours à des chiens pisteurs, des plongeurs, un hélicoptère, des chercheurs, etc.... Le service de police n'a pu s'écarter du drame qui accablait la province. Il fallait penser à s'hydrater, s'enduire de crème solaire et de chasse-moustiques, et surtout avoir la tenue adéquate pour circuler sur des terrains vagues ou accidentés.

En sortant de là, en attente aux feux de circulation, je ne comprends pas qu'autour de moi, pour les autres, la vie continue et que leurs activités se poursuivent. Comment est-ce possible alors que mon enfant est disparue et recherchée? Le temps s'était arrêté pour moi; j'avais soudain été projetée dans une dimension parallèle à la leur. Je me rendais à l'évidence que ces gens ne savaient pas, qu'ils avaient d'autres priorités...

D'un côté le chaos organisé, et de l'autre l'ordre, la régularité, les habitudes, le train-train quotidien...

En arrivant à la maison, je regarde par la fenêtre du salon, direction sud. Pensive, je réalise qu'il n'y a pas de plus grande force dans la vie que l'entraide.

— Que le monde est donc bon autour de nous! Ces gens là-bas, ils sont là pour nous et pour Joleil! Une personne a commis un geste répréhensible, mais combien d'autres compensent par leur bonté!

Les gens savent-ils à quel point l'entraide est importante? Rassurante? À quel point, elle apporte réconfort et apaisement?

Nous étions submergés par ces actes, comparables à des vagues d'amour renouvelant notre souffle.

Deux mamans de l'école de Joleil sont venues me voir, à tour de rôle. Installées dans la chambre de Joleil, bien assises sur son lit, elles m'ont laissé parler, parler… sans jamais ajouter un mot. Contrairement aux supposés bienfaits de cette écoute, j'en étais frustrée… Bizarre. Elles sont là pour moi et moi, je me sens encore seule. C'est comme si j'avais été toute seule à parler dans le vide. Je ne comprenais pas leur silence. J'ai même posé une question qui resta sans réponse. L'une d'elles m'a laissé des cassettes de relaxation. Elle avait sûrement compris que j'avais besoin de me détendre. Merci à vous deux, mesdames !

Mais, pourquoi partir ?

Je me voyais seule dans ma bulle circulant autour des autres, eux aussi dans leur bulle…

Voici un autre témoignage, celui de la cousine de Joleil, écrit au feutre bleu sur une feuille rose :

Salut, ma p'tite Jojo,

J'espère qu'en ce moment tu vas bien. Tout le monde est ici pour te chercher où que tu sois, je veux que tu restes forte et que tu gardes toujours espoir de retrouver tous les gens que tu aimes et qui t'aiment eux aussi. Peut-être que tu es partie au ciel ou peut-être es-tu cachée quelque part, mais la chose qui me tient le plus à cœur en ce moment, eh bien, c'est que tu ne souffres pas ou que tu n'aies pas souffert. C'est dans des situations comme ça qu'on réalise combien c'est important la vie. Je t'aime gros,

Ta cousine Kako

Je ne peux commenter ce témoignage que par des pleurs, ma filleule.

Merci pour ta gentillesse, Karine !

...

Un membre de la famille connaît un médium. Avec le consentement de mon conjoint, il a été invité à la maison. C'est un homme handicapé. Il se déplace avec une canne. Sa façon de marcher semble désordonnée, étrange au premier regard, car il titube et son dos est courbé. On m'avait avisée de sa différence.

Il nous demande s'il peut aller dans la chambre de Joleil. Il veut retrouver son énergie.

Je l'y amène. Il entre, promène son regard aux yeux mi-clos, fait le tour de la pièce et ferme les yeux. J'ose, impatiente :

— Je peux vous poser une question ?

— Oui.

Je réfléchis :

— Est-ce que je vais revoir ma fille ?

Il me répond sans hésiter :

— Oui.

— Non, non, non, excusez-moi, ça va trop vite. Attendez ! Je veux reformuler ma question.

Je prends le temps de me concentrer et lui demande à nouveau :

— Ma question est celle-ci : vais-je revoir le corps de ma fille en vie ? C'est-à-dire, vais-je revoir ma fille vivante ?

— C'est bien à cette question, que vous… ? me demande-t-il en se retournant.

Je ne lui laisse pas le temps… Et d'un ton radical et plus élevé encore, je le prie de me répondre, sans trop le brusquer :

— S'il vous plaît, vais-je revoir ma fille vivante ?

Il prend son temps, je le suis du regard et il me répond d'une voix faible :

— Non.

– Vous êtes certain ? C'est bien un « non » que vous me dites ?

Il hoche la tête tout en continuant à pratiquer la lecture de la situation.

– Oui.

– D'accord !

Soulagée, j'ai relâché la tension de mes muscles. J'ai respiré, persuadée que si elle était décédée, elle ne souffrait pas.

Je savais que la vie devait continuer, mais quelle vie ? Ma douleur devenait tout autre. *Mon Dieu ! Mais comment ça se passe pour elle ? Et je n'ai pas été là ! Ça ne doit pas être facile !* J'ose à peine penser : *C'est ça, la fin de ta vie, ma grande !*

Ces informations, je les ai gardées pour moi. Je ne désirais pas les partager avec les enquêteurs, nous étions sous la loupe et suspects, mon conjoint et moi. Si je leur dis que je sais qu'elle est décédée… Non, ce n'est pas approprié à ce stade des recherches.

5

ÉTAT DE SIÈGE ET GARDE-À-VOUS !

Mon conjoint me prend à part :

— Donna, fais attention à ce que tu dis. Il y a des soupçons dirigés vers nous. Quelqu'un de notre entourage a dit aux enquêteurs de se méfier de toi. Ils ont trouvé dans la poche de ta veste en jeans, que tu as prêtée à quelqu'un pour les recherches, une paire de gants chirurgicaux tachés de terre.

La méfiance est concrète, car nous savons d'emblée que tout le monde est suspecté !

J'éclate de rire, même si je ne trouve pas ça drôle. Je sais aussi à qui j'ai prêté ma veste, mais ça ne se peut tout simplement pas ! Il y a assez d'aberrations sans besoin d'en rajouter !

Après réflexion, lasse de ces questions répétées sur ce qui s'est passé, je décide alors d'être insensée à mon tour et je finis par questionner l'enquêteur, ironique, tellement j'en ai marre de la situation.

— Pardonnez-moi, monsieur, j'ai l'impression que vous avez des soupçons à mon égard. Je me trompe ou est-ce possible ? Je le répète : à la fin, c'est plus qu'agaçant ! J'en suis à me questionner sur la possibilité d'avoir tué ma fille et de ne pas m'en souvenir! C'est possible... de ne pas se souvenir... de ce qu'on a fait?

Il me regarde, un peu plus de travers, le regard en coin. Je l'entends presque réfléchir...

Vous voulez jouer au fou? Me piéger! Allons-y gaiement, je vous accompagne. Une dame se tanne, voyez-vous! Non, mais tant qu'à plonger et à replonger dans une situation absurde, allons-y! Ces gants, je les ai utilisés pour transplanter les fleurs, pas pour tuer ma fille!

Un élément de plus s'ajoute à ma peine. Que l'on doute de moi au point de mettre ma fille à mort, ça tient du délire. Et, en même temps, quel pouvoir ai-je? Impossible de me soustraire à toutes ces inquisitions. C'est leur devoir de valider tous les scénarios, même les plus inimaginables! Mais, ils doivent chercher ailleurs. Pas chez moi! Qu'advient-il de ce qui s'est vraiment passé? De l'autre? De celui qui a fait le coup? Que fait-il, l'autre, en ce moment? Où est-il? Que d'hypothèses en suspens!

Plus tard, un enquêteur s'en prend à mon conjoint. En peu de temps, celui-ci bondit du fauteuil, imposant sa réaction.

— Assoyez-vous, monsieur!

Il obtempéra sans broncher, dans un lourd silence renfrogné et eut droit à son tour aux embarrassantes procédures d'enquête sans gants blancs.

— Conservons notre calme. Ils essaient toutes les manigances possibles. Nous ne devons pas nous laisser atteindre. Ils attendent la coche, la faille. Ils tentent d'allumer la mèche et hop! Qu'est-ce qui va sauter? Ils essaient de nous échauffer le «yoyo». C'est leur travail d'émettre des postulats afin de toucher notre sensibilité ou nos émotions, ce qui pourrait les mettre sur la piste d'un indice, d'un motif quelconque pour en arriver à des aveux. Pas de motif, pas d'aveux. Ils n'ont rien et c'est leur tâche de cerner l'erreur.

Notre vie est devenue un véritable roman policier.

...

Prévu à l'agenda mercredi après-midi : rencontre de fin d'année pour les parents impliqués et les enseignants, dans la cour arrière de chez l'un d'eux. Je veux y aller. Je dois y aller et j'y vais, seule. Quelques invités sont déjà arrivés. Avec réticence, on me demande de mes nouvelles. Je sens la réserve... Je m'explique, sur ce qui s'est passé, sur ce qui se passe chez moi et sur les recherches du grand public... C'est l'alternance entre la consternation et le silence. Je repars assez vite, gênée. Je ne veux pas troubler davantage l'ambiance. En plus de me sentir déjà hors du groupe.

Pour jeudi en soirée, mon conjoint a demandé une vigile à l'église. Parmi les nombreuses personnes présentes, je suis timidement heureuse, malgré ma peine, de voir entre autres mon patron ainsi que sa femme et des membres du personnel. Je suis secrétaire dans un laboratoire d'analyse de sang et cette présence me ramène... à une certaine réalité qui ne sera plus la même dans les temps à venir.

JOLEIL RETROUVÉE

Le vendredi en après-midi, un enquêteur appelle ; ils viennent nous chercher. Nous sommes conduits à leurs bureaux.

C'est à ce moment qu'on nous annonce qu'ils ont retrouvé le corps de Joleil... Dans le ruisseau, près de la maison... Sous trois pieds de vase... Une roche a été déposée sur elle. Je suis surprise, triste aussi, mais discrètement soulagée.

C'est quand même l'évidence : le couperet est tombé.

Les recherches sont terminées.

Le père biologique de Joleil avait demandé à répétition d'effectuer des recherches dans le ruisseau. Ce qui avait été fait, mais à la fin, il avait réitéré sa demande en exigeant qu'on vide le ruisseau de son eau. Il a eu raison. Merci !

Je ne pleure pas tout de suite. À la limite intempestive, je demande à la voir. Est-ce possible maintenant ? On m'indique l'heure et l'endroit où se présenter à la morgue. Nous sommes accompagnés.

Sur la route, je ne suis qu'une ombre. Assise au fond du siège, alors que la voiture file droit devant, je m'en vais voir le corps de ma fille. Je m'en vais voir son corps ... mort. Même si je n'ai pas besoin de l'identifier. Je veux la voir !

Tout semble froid dans ces lieux, ces corridors.

Son corps repose sur un genre de civière, un drap blanc est posé sur elle. J'ai la sordide impression de vivre une scène au cinéma, alors que je me serais trompée de salle et de film… Elle est dans une pièce et moi dans une autre, séparées par une vitre. Elle est là, belle, droite, digne. Sa peau a perdu un peu de ses couleurs, mais toutes ses formes, sa tête, son visage, son cou, sa poitrine et le reste, semblent intactes. Elle a des marques perceptibles au cou. Je l'embrasse du regard et me considère comme « chanceuse » de constater la beauté de son état. Cela aurait pu être pire ! Merci, Seigneur, de nous avoir épargné un surplus d'horreur ! Si son corps est là, inanimé, est-ce que son âme est libre ? Je regarde en l'air, fixe le vide, je veux m'y accrocher, aussi longtemps que je le pourrai.

…

COUP D'ÉCLAT MÉDIATIQUE

Nous sommes encore privés de certaines informations; l'enquête repart sur de nouveaux éléments en prime. Les recherches se sont terminées dans le retrait des bénévoles, tristes et silencieux. À la maison, c'est l'effondrement total: je pleure sans cesse, à fond, d'épuisement à force d'imaginer ce qui a dû se passer pour elle pendant que je décorais le terrain et que je jouissais de la vie dans un sentiment de plénitude.

Au plus profond de moi, dans la plus grande de mes sagesses, Joleil est partie sans se retourner. Pas besoin d'autre chose entre elle et moi; comme si elle me disait:

— Voilà, maman! C'est ici qu'on se laisse!... C'est ici qu'on se fait nos adieux... Continue sans moi, maintenant... Et avec les gens qui t'entourent!

Un an auparavant, à l'occasion d'une mort d'enfant dans la région, je me suis questionnée sur la façon d'aborder ce sujet avec elle.

Joleil est assise de l'autre côté de la table dans la salle à manger, c'est la fin du souper et nous parlons de tout et de rien. Puis, finalement, je me décide enfin:

— Joleil, j'ai quelque chose à te dire. C'est assez sérieux.

Elle est occupée à colorier et elle termine de grignoter les restes d'un dessert.

— Joleil, il se peut qu'un jour maman meure. Tu sais… Parce que c'est comme ça. C'est normal de venir au monde, tout comme c'est normal de mourir. Ça fait partie de la vie.

Silence. Je continue :

— Et, si ça t'arrive à toi de vivre ça, c'est que tu devrais être capable de continuer ta vie avec les gens qui t'entourent.

Ma très chère, unique et grande fille me répond presque aussitôt :

— C'est ça ! Si j'meurs, t'auras pas de peine !

Face à ses surprenantes répliques, je n'ai jamais cessé de me questionner sur leur origine et de me repositionner sans cesse. Cette fois, je crois à peine ce que je viens d'entendre et je lui réponds sans réfléchir :

— C'est sûr, Joleil… Si tu meurs, j'aurai de la peine… C'est quoi cette idée ?

Mais en réécoutant ces paroles dans ma tête : *Si tu meurs, j'aurai de la peine…* cette conversation prend soudain une autre signification … Dans un quart de seconde, ça se bouscule dans ma tête et je me lève d'un bond.

— Mais non, mais non… Ça n'arrivera pas !

Je laisse Joleil à son sort tranquille. Je ne me contiens plus dans mon agitation. Je me dirige aussitôt vers le comptoir de la cuisine jusqu'à ne plus m'entendre à travers le brassage des assiettes et des ustensiles dans l'évier. Je commence à laver la vaisselle et je retiens à peine ma nervosité subite tout en lui jetant un ou deux regards tantôt longs, tantôt rapides :

Ah !... Celle-là ! Pas besoin de feux d'artifice avec elle ! Ses étincelles me font suffisamment d'effet !

RENDEZ-VOUS INATTENDU

— J'ai besoin d'un massage! Ça ne serait pas un luxe: mon corps n'arrête pas de trembler par en dedans.

Un proche acquiesce à ma requête et tout s'organise. En peu de temps, j'obtiens un rendez-vous chez une dame qui me reçoit dans son sous-sol. Elle sait qui je suis et ce qui se passe dans ma vie. Elle m'accueille avec une joie tranquille, contenue dans une forte compassion. Je me retrouve ensuite couchée presque nue, sous un drap, à relâcher toutes tensions.

Je reçois un massage puissant. Je sens quelque chose comme une énergie d'amour entrer en moi et parcourir l'intérieur de ma peau et de mes muscles, se rendant jusqu'au solide de mes os. Rien de comparable ne m'était arrivé auparavant.

Le soir, au coucher, je suis sous les couvertures dans mon lit, la porte de ma chambre est fermée. Mon conjoint et quelques personnes sont au salon. Tout à coup, retenant mon souffle, j'ai la sensation d'un poids sur mon corps, de quelque chose qui ressemble à une forme allongée... une sorte de présence...

C'est le corps de Joleil? Non, je ne rêve pas! Mystère? Elle est couchée sur moi? Je suis étonnée, heureuse, émue et... paralysée. Je veux garder ce bonheur et le partager à la fois, je ne veux pas que cesse ce moment, cette étape, ce... passage! Je ne doute pas de ma certitude, mais...

Je pousse un cri même si je sais que mon conjoint ne m'entendra pas. Je veux hurler, mais elle est là et je ne veux pas qu'elle disparaisse. À grand regret, j'abandonne l'idée de partager cet instant précieux. Je ne bouge plus... J'enregistre l'information dans mon corps.

Elle est là, avec moi !

Nous sommes seules, ensemble toutes les deux. Cet instant est à nous...

Elle est là, dans ces instants mêmes où je meurs de ma vie physique avec elle...

Je sombre aussitôt dans un sommeil profond. Au réveil, le lendemain matin, l'effet a disparu. C'est de nouveau le chagrin de la rupture, de la séparation.

Quelle épreuve ! Tant de tristesse à travers des joies si grandes...

Seigneur ! Qu'attends-tu de moi ? Je sais qu'à la suite d'une grande épreuve, Il faut qu'autre chose arrive, de plus beau, de plus grand, de plus fort, aussi intense qu'un déferlement de vagues ! Que de souffrances, mon Dieu, dans cet amour !

Je sens ma vie avec Joleil se dérober de sa matière, puisqu'elle me quitte physiquement. Mais en même temps, elle le fait en me couvrant d'un si grand amour !

Je sais alors qu'un jour, je devrai en renaître.
Là, maintenant, je suis ici, sans elle. Moi, sans mon enfant, je devrai continuer à vivre avec ceux qui m'entourent.

Nous sommes épiés. Les enquêteurs enquêtent partout. Ils se promènent sans cesse dans l'environnement, questionnent les membres de ma famille, mes collègues de travail, ceux de l'école, les médecins, l'optométriste, les amis, les voisins, etc. Il y a de quoi perdre le nord. J'imagine l'assassin là, là-bas, sans doute tout près ou au loin, qui suit … les évènements. A-t-il laissé un indice permettant de le retracer? Ils ne peuvent pas tout nous dire… Ils n'ont pas trouvé les lunettes de Joleil, c'est tout ce que nous savons. S'ils ont une piste, car on nous questionne encore mon conjoint et moi, nous sommes toujours tenus dans l'ignorance des faits.

Les informations entrent de toutes parts et à profusion au centre d'appels; elles sont immédiatement vérifiées. Nous sommes informés qu'il y a un surplus d'enquêteurs en poste. On offre des récompenses en argent contre de l'information conduisant à un indice, à un motif ou à un aveu.

…

Ça pourrait aussi être les amis de Joleil…

— Eh oui! Des enfants qui tuent un autre enfant: mais voyons donc! C'est n'importe quoi!

La scène du crime a démontré l'impossibilité d'un accident. Des experts ont utilisé un mannequin du même poids que Joleil et ils ont tenté de reproduire les faits. Résultat ? Impossible que ce soit une mort accidentelle. C'est un homicide !

En titre sur la première page du journal :

JOLEIL MORTE NOYÉE

Quelle torture que de voir la tragique fin de vie de ma fille ainsi exposée en photo ! Son corps est bordé d'une couverture rouge qui l'enveloppe en entier. Il est couché sur un genre de civière et est porté par deux hommes sortant d'un boisé.

Un rapport du coroner nous sera envoyé dans les mois à venir.

6

L'ENTERREMENT

En plus de faire face aux soupçons des enquêteurs, nous devons préparer le service funéraire.

Vivement les procédures, car nous sommes épuisés! Plus de force! L'usure du stress en continu a annihilé toutes nos énergies. Lundi, Joleil est portée disparue, vendredi elle est retrouvée et le mardi suivant, elle est mise en terre.

Obtenir un emplacement au cimetière est dispendieux pour mes simples moyens. Je crois profondément, quoiqu'avec un peu de honte, que je ne devrais pas être obligée de payer pour faire enterrer ma fille. Allez savoir pourquoi je pense ainsi…

J'éprouve le sentiment profond de m'être fait voler mon enfant. Blessée par en dedans, j'ai tout de même décidé d'accueillir cet évènement de ma vie dans la paix. En réalité, je n'ai pas d'argent de réserve et je ne veux pas m'endetter. Comment pourrais-je rembourser un emprunt? Je culpabilise de me préoccuper de telles choses… Est-ce le temps de faire un emprunt alors que je suis dans un état lamentable et que je ne sais pas ce qui va m'arriver?

Où faire enterrer Joleil dans ce cas? Où laisser sa dépouille? À Bois-des-Filion où j'ai vécu mon enfance? À Laval, dans le cimetière près de son école, plus précisément à Sainte-Rose?

Au cimetière Saint-François-d'Assise, à Montréal, sur le terrain de sa famille paternelle? Après réflexion, même si ma vie avec son père n'a été que de courte durée, Joleil porte son nom et je n'ai jamais cherché à renier cette partie de ses origines.

Je veux que ses restes s'en retournent dans la terre ancestrale, avec toute la reconnaissance, le respect et l'amour dus à sa famille, trop heureuse d'avoir partagé ma vie avec cette enfant si vivante pendant plus de neuf ans.

On m'a proposé de faire une demande à l'IVAC[8] pour les frais d'embaumement et d'exposition, car Joleil y est admissible en tant que victime d'acte criminel. Merci à ce système et à la société pour cette organisation de soutien, mais Dieu que les formulaires à compléter viennent troubler un moral déjà à plat dans de pareilles circonstances!

Je demande à rencontrer la personne qui va s'occuper de l'embaumement. On se donne rendez-vous. Avec entregent, une dame toute menue et délicate me reçoit dans le plus grand respect. Je lui soumets certaines spécificités qu'elle accueille sans gêne. Les autres membres du personnel du salon funéraire sont aussi attentionnés à mon égard et d'un semblable secours, respectueux à souhait.

Un parent de l'école de ma fille m'a recommandé un prêtre, vicaire épiscopal que cette dame connaît très bien. J'accepte de discuter avec lui de la façon dont je vis les évènements et sur la manière dont j'envisage le déroulement de la cérémonie.

---

8   Indemnisation des victimes d'actes criminels.

Sa mort, bien que réelle, me semble secondaire… Je tiens à ne m'attarder que sur le meilleur et sur ce qui nous reste de notre vie avec elle. Je veux célébrer sa vie dans le sacré ! Pas de discours d'affliction, de peine, de ceci ou de cela.

Peu de gens, face à mon idée, ont accusé une réception favorable. Silence oblige, le traumatisme est trop présent. Après l'entretien avec le prêtre, mon amie m'a transmis sa remarque :

— Donna, il n'y a personne qui la comprend, mais c'est la seule qui sait où elle s'en va.

Quelqu'un a entendu et accueilli ce que je vis, enfin !

Ces quelques paroles m'ont profondément rassurée, même si le poids de ma solitude intérieure est resté bien présent…

Ce prêtre n'ayant pu se libérer le jour de l'enterrement, un autre prêtre connu de la dame le remplace. Lors des premiers instants de notre rencontre, celui-ci m'avait confié qu'en apprenant, par la télévision, la nouvelle de la découverte du corps de Joleil, il avait spontanément prié pour lui-même. Je le regarde et il me rassure, m'expliquant qu'il avait alors dirigé ses prières à l'intention du prêtre qui présiderait le service, ne sachant pas encore que ce serait lui.

Tiens ! J'y découvre la puissance de la communion de prières des uns pour les autres.

Il avait une idée très claire de ce que je vivais et il m'a demandé quel texte biblique je désirais en lecture pour l'Évangile.

— Je veux que ce soit lumineux, incontestablement. Joleil commence une vie nouvelle. C'est son droit de la vivre dans la lumière, même si la douleur de son départ est atroce et indescriptible. Ma fille et moi, nous nous sommes données, offertes l'une à l'autre et je ne peux et ne veux que lui rendre grâce dans cette expression sacrée, malgré mon état d'âme encore enchevêtré.

Au salon, je porte une robe longue fleurie aux couleurs bleu pâle. Un chandail aux mêmes teintes pastel est attaché autour de mes hanches, pour éventuellement contrer la fatigue ou le froid. Ce n'est pas traditionnel, je le sais.

Je sens de la retenue autour de moi. Certains m'ont fait la remarque plus tard d'avoir eu à accueillir ma différence, surtout avec mon énorme tournesol en corsage.

Cette propriété du tournesol d'être toujours tourné vers le soleil m'a aidée à garder le cap. L'hiver précédent, j'avais fait germer des graines dans le sous-sol puis, au dégel, je les avais transplantées du côté sud, en bordure de la maison. J'espérais ainsi voir toutes ces fleurs géantes devenir assez hautes pour pouvoir les admirer depuis les fenêtres du salon. Mon désir fut réalisé durant l'été qui a suivi le décès de ma fille.

Dans mes instants de contemplation méditative, je sens mon cœur suspendu comme ces fleurs, associées aux joies profondes de ma vie intérieure.

Lorsque j'étais enfant, en visite chez ma grand-mère paternelle dans sa résidence de Laval, je contemplais sa haie de tournesols, émerveillée par les attentions que pouvait lui accorder ma grand-mère, pourtant fort occupée par sa profession d'infirmière.

Pourquoi me contenir ? Je souhaitais célébrer la vie de Joleil.

Qui comprenait ? Personne.

La famille, les enquêteurs, les amis, les connaissances, nous étions tous à nous protéger du contrecoup, tentant de ne rien laisser au hasard. J'avoue que la souffrance a été mise de côté à ce moment-là.

Je voulais célébrer sa vie, pas sa mort ! Son esprit était encore tellement là, vivant en nous ! Son deuil, on le portera après. La vie de Joleil aura été une graine et notre cœur, la terre. Cette graine qui germera dans la naissance d'une autre vie, envers et contre tous les défis que comportera son absence. Mais, dans cette autre vie, nous n'y étions pas encore. Joleil était là, certes. En fait, tant que l'enterrement... n'aura pas eu lieu...

Les élèves venaient déposer des fleurs sur sa tombe...

Pour moi, la mort n'existe pas. Mais oui, elle existe ! Non !
C'est la vie qui persiste, sous une autre forme, je crois. Enfin, c'est ma foi et mon devoir de croire à plus grand que moi. C'est aussi mon devoir de passer outre à ses cruautés, pour vivre la vie dans toute sa réelle intensité et continuer à me nourrir de ses merveilles. Pleurer est aussi un gage d'amour et c'est tellement humain !

Beaucoup de gens sont venus au salon, des gens tenus à distance depuis très longtemps. Tout un appel ! Toute une réponse ! C'est fou ce que la mémoire contient de souvenirs dans sa longévité! Condoléances, prières et silences. Chacun apporte sa présence, sa sollicitude profonde.

Nous étions là, à nous regarder, chacun en soi, face à notre conscience imparfaite, comme évoluant dans le néant. La vie s'était chargée de nous retirer l'amour d'une enfant : une petite fille, une sœur, une amie, une *best friend*, une cousine, une voisine, une élève, une citoyenne… Profitant du temps présent, il m'était, à ce moment précis, à peine concevable de recréer la vie de Joleil à partir de sa présence tant aimée et, surtout, avec l'horreur en arrière-plan.

À genoux sur le prie-Dieu, je contemple et je me remplis du visage de ma fille sans toucher à sa peau rosée. Je sais que sa peau est froide et ce souvenir ne me convient pas. Je le sais, c'est comme ça, ça suffit ! …Assez !

Sa chaleur ? Elle est là, quelque part dans tout mon corps. Et je sais que la fin est là elle aussi, bien présente, à l'affût sous le couvercle qui se refermera dans les heures à venir.

Je dépose ma main sur son buste, habitacle de son cœur, comme dans un refus de l'abandonner ou pour lui demander de continuer avec elle. Je sais fort bien que ce défi de vie ne s'arrêtera pas ici, mais en son temps, dans un autre maintenant.

— Ma belle Joleil, je suis comblée d'une joie parfaite de te voir encore malgré la peine de ces jours et de tes derniers instants. Merci pour ce que tu as été dans ma vie. Je doute de l'après-vie, mais je suis assurée que tu as fait mon bonheur et que je m'y référerai en tout temps et au besoin. Je devrai remonter le courant encore plus haut, avec toi, en amont, mon enfant vivante et décédée. Tu seras encore et toujours ma joie et mon soleil. Adieu Joleil! Va, ma grande! Et continue ta vie maintenant avec tout ce que nous t'avons laissé du meilleur de nous-mêmes! Va…! À Dieu!

En dépit de leur beauté, les fleurs dégagent leur odeur funéraire. Elles ne peuvent que tenter de compenser pour l'ambiance morbide. Si loin et si près d'un jardin vibrant, seules les circonstances sont différentes.

Un grand arrangement floral en guise de soleil a été suspendu au-dessus de sa tête. Quelle complexité émotionnelle que la beauté et la tristesse combinées de cet ensemble!

Les cousins et cousines de Joleil ont confectionné une carte de remerciements géante, remplie d'amour sincère et inconditionnel, destinée aux bénévoles qui ont participé d'une façon ou d'une autre à l'évènement.

Nous ne sommes jamais seuls!

Deux scènes ont écorché mes émotions, au salon.

La première s'est produite alors que j'avais demandé à la fleuriste une gerbe de fleurs blanches sur long feuillage vert à exposer sur le dessus du cercueil de ma fille. Malheureusement, j'ai reçu autre chose! Eh oui! Des fleurs de couleur avaient été ajoutées à l'arrangement. Impatiente d'admirer l'éclat du blanc sur le vert, j'ai eu beau chercher, vérifier, faire le tour, je n'ai jamais reconnu ce que j'avais commandé. Quand on achète des fleurs pour l'exposition de son unique et jeune enfant décédée, la fleuriste ne devrait-elle pas avoir pour priorité de livrer exactement ce qui a été demandé? La sensibilité la plus élémentaire ne devrait-elle pas lui dicter de satisfaire son client? J'ai dû m'enjoindre de me calmer.

— Je comprends votre intention, ma chère fleuriste, vous avez voulu me faire plaisir en y mettant du vôtre... de la couleur, mais où sont les fleurs que je vous ai commandées?

Petit détail, grosse déception.

Lâche prise...Donna! Tu es très émotive, à quoi bon?

L'autre «petite chose dérangeante» fut un insecte qui ne cessa de virevolter au-dessus du corps embaumé de Joleil. Ce moustique ne la quitta pas de toute l'exposition. J'ai vite réalisé que je devais cesser de le regarder et de songer à l'anéantir en gesticulant pour le chasser. Rien n'y fit et j'abdiquai, finalement, la nature étant ce qu'elle est!

Avant de fermer son cercueil, nous y avons déposé des objets de consolation et des souvenirs, laissés par moi et par les enfants.

Dernier adieu, je vois une partie de ma vie se refermer à l'intérieur de cette réelle et triste noirceur.

À l'église, j'ai demandé une homélie sur le départ, les voyages et la vie nouvelle. Pas de peine, pas de tristesse, pas de lamentations. Que la joie de l'avoir connue et d'avoir vécu à travers elle! Elle avait déjà mentionné vouloir devenir une grande voyageuse lorsqu'elle serait *grande*. Nous ne pouvions que lui offrir notre accord, en la saluant pour ce grand départ...

Un parent de l'école a dansé sur une musique douce, tout habillée de blanc: ce fut magnifique! On aurait dit un ange transcendant le réel.

Fatiguée et reconnaissante, en me rendant au cimetière en voiture avec le père de Joleil, je n'ai eu que ces quelques mots:
— C'est ici que ça se termine pour nous. Merci, surtout pour avoir insisté et fait vider le ruisseau de son eau.
Il me jeta un coup d'oeil, ne dit mot, reportant son regard vers l'extérieur.

À l'arrivée au terrain, le trou était déjà creusé. Tous étaient rassemblés en prière sous un temps plus lourd que chaud. Nous attendions, le regard figé, rempli de peine, la petite dépouille qui laisserait en chacun de nous un immense questionnement sur l'éternelle quête de sens de la vie et de la mort.

Pendant que descendait son cercueil, je pensais:
Ma fille, ton départ vers cette autre vie va à l'inverse des choses. Je laisse aller ton corps dans la descente, alors que les enfants sont faits pour être élevés et non portés en terre.

Quelques fleurs ont été jetées sur son cercueil. Moi, je voulais y déposer autre chose. Jetant un regard aux alentours, j'aperçois un peu plus loin une pelle sur un amas de terre. Je décide d'aller la prendre et je l'enfonce d'un vigoureux coup de pied dans le tas. J'en soulève une bonne pelletée et me dirige avec l'intention de tout laisser tomber dans la fosse. Je veux la mettre en terre moi-même. C'est moi qui lui ai donné la vie...

C'est lourd, très lourd, ce poids. Cette pelletée me ramène à mes limites. En fait, à ce qui me reste de forces. À ce constat, s'amplifie ma colère vivement, alors qu'une seconde fois j'enfonce encore plus profondément la pelle. Je dois m'abstenir cette fois. *Si je continue, je sens que la rage va me prendre et je m'écroulerai au fond de la fosse avec Joleil.*

Un des employés comprend ce qui se passe et vient gentiment me demander de poursuivre. Je le regarde, semblant comprendre et perdue en même temps.

Je lui tends la pelle, abandonnant la lutte dans un silence étouffé, tiède, et ô combien chargé d'un vide intense. Un frisson glacé parcourt tout mon corps en réaction à ce besoin d'enterrer ma fille, impulsion que je qualifie encore de primitive. Je me retiens, fiévreuse, malgré la moiteur de l'air.

Dans la voiture qui nous ramène au complexe funéraire, je me rends compte que je suis devenue l'une de ces personnes endeuillées que l'on voit défiler, apparemment hors du temps, le regard fixe devant elles... Mais qu'est-ce que le temps quand on fait partie d'un cortège funèbre ? Voilà ce que je me demandais, jeune enfant habitant près d'une église, lorsque j'étais témoin de ce triste cérémonial. Que doivent vivre ces gens devant l'évidence de la mort, devant l'évidence aussi de cette autre vie qui avance comme une inconnue ?

Je vis la fin du monde, je vis la fin d'un monde et je vis la fin de mon monde.

Nous sommes un mardi de juin, en 1995, le 20, en fin d'après-midi.

…

Aucune rencontre de groupe n'eut lieu après l'enterrement. Plus capables ! Trop fatigués du drame, trop à plat. Nous retrouvons quelques membres de la famille dans un restaurant à Laval. J'ai bu un verre d'eau, le premier après avoir enterré ma fille. J'ai commandé un plat, pas trop lourd… Mon Dieu ! Timide, je retrouvais le goût de la nourriture… Le premier repas… J'ai pris mon temps, déposant ma fourchette entre chaque bouchée, reprenant mon souffle et mon rire nerveux, le geste tranquille.

Tout était terminé.

Premier verre d'eau, premier pipi, premier… tout en fait !

Début ou naissance d'une autre vie…

7

LA VIE SANS JOLEIL

Toutes les écoles ont des sorties de fin d'année.

Cette année-là, je devais accompagner les élèves pour une journée de baignade au lac. Bien entendu, ma participation a été refusée.

Frustrée et dans un petit moment de rébellion, je me permets une escalade émotionnelle et je déraisonne en un dialogue intérieur :

– *Et si j'y allais quand même ?*

– *Hum ! …Mais, ils ne veulent pas te voir là…*

– *Je sais, mais je veux y aller ! C'était prévu que je les accompagne !*

– Ça sera trop difficile pour eux. Penses-y, ils sont là pour s'amuser !

– *Et si j'y vais et que je reste à l'écart ? Je pourrais les regarder de loin … Ça me ferait plaisir.*

– *Oui ! Mais comment t'y prendras-tu ?*

Mon imagination se met alors en mode scénario.

Je suis sur le bord de la plage et j'observe le groupe de loin. Je tente de distinguer les élèves de l'école des autres baigneurs. Tout à coup, j'ai peur de me faire repérer et je me cache derrière un buisson. Rapidement, je trouve ça épuisant de porter mon regard à cette distance, en plus de réaliser que ma fille n'est pas là.

La fatigue s'empare de moi. Je ne pourrai survivre à cette manœuvre bien longtemps. Je vais donc un peu plus loin m'allonger sur le bord de la plage. Ainsi étendue, ça sera plus facile de les observer et il y aura moins de risque de me faire repérer.

Je dois soulever la tête pour scruter l'espace de jeux et tenter de demeurer bien concentrée sur le groupe qui s'est fait plus petit. Abandonnant graduellement cette perspective du regard et dans une sorte d'engourdissement, je me vois soudainement prendre la forme d'un énorme arbre abattu, abandonné sur le sable. Surprise, je me retrouve dans son tronc, au bord de la grève, en reste, comme lui, avec peu de vie, fatiguée et alourdie par le temps saisonnier. J'essaie de voir si je peux sortir de là, contemplant le sable d'abord, puisque j'ai le nez au sol, regardant ensuite vers le rivage, puis vers l'horizon, loin devant.

Au même instant, j'ai le sentiment d'une petite victoire :

– Je suis près d'eux et ils ne peuvent me reconnaître sous cet aspect !

Sur-le-champ, je suis vite soulevée dans une sorte de vacuité orchestrée, puis je réintègre l'épave, m'enfonçant encore plus profondément en elle. En quelques secondes, nous rapetissons jusqu'à devenir un simple bout de bois aux teintes gris blanchâtre, tout asséchées par les intempéries des dernières années.

En sursaut, je sors de l'illusion et j'examine rapidement la scène. Au loin, les enfants ont disparu.

Combien de temps s'est-il écoulé ? *Cette vieille branche laissée là, mais c'est moi ! … Depuis combien de temps suis-je là ? …*

Je comprends pourquoi je dois rester chez moi.

Fais ton temps, Donna !

...

Les jours qui suivirent n'ont d'importance que l'oubli.
Repos ! Repos ! Repos !

Je pleure dans mon sommeil et je me réveille en sanglots, les joues mouillées. J'ai les yeux pleins d'eau avant même de les ouvrir.

Il fallait laisser la peine à son temps ou le temps à sa peine et laisser au temps, le temps de faire son temps.

Ce n'est que le vendredi suivant que ça s'est davantage bousculé, après trois jours d'absence réelle et de souffrances continues.

Dans l'après-midi, je pleure, assise sur le sofa dans le salon. Subitement, une envie furieuse me prend : j'enfonce mes ongles dans ma cuisse droite, les sentant comme des lames effilées qui pénètrent ma peau au point de me blesser. Dès les premières sensations de douleur, je réagis prestement :

– Oh là… !

Sous l'ampleur des sanglots, je réduis la pression en intensité pour terminer avec une caresse, pressée fortement sur ma cuisse avec la paume de ma main. Je me questionne :

– *Eh là ! … Comment ça se passe en ce moment ?*

– *Ça fait mal ! …*

– *Tu souffres beaucoup ! …*

– *Oui ! …*

– *Jusqu'à vouloir te fendre la peau ! … Ça aussi ça fait mal !*
Pleurs.

– D'accord ! Qu'est-ce qui fait mal spécialement, à ce point, aujourd'hui ? ...

Comme si je ne le savais pas !

– Je m'ennuie de Joleil, je m'ennuie de ma fille ! Ça ne se peut pas ! ...
– Eh oui ! Hier aussi... Pourquoi plus aujourd'hui qu'hier ?

Je réfléchis pour calculer et être bien certaine du délai écoulé.
– Ça fait trois jours qu'elle n'est pas là... C'est insupportable tout ça, je ne suis plus capable... !
– D'accord ! Tu n'es plus capable ! Mais de quoi ? Elle a été assassinée ! Et elle ne reviendra pas. Tu te rappelles les jours passés ! ... Elle est enterrée ! ...
– ... Je sais...
– ...
– ... C'est vendredi !
– ...
– Les vendredis, avant de rentrer à la maison, nous allions casser la croûte ensemble. Il nous arrivait aussi de faire les magasins pour de petits achats. C'était notre plaisir après une bonne semaine de travail. Et cela ne se répétera plus. C'est de ça que je souffre !

Sanglots.

– Ça se comprend...

Pause.

– *Les choses vont devoir changer : ça ne sera plus comme avant,
hein !*

Pleurs.

– *Que comptes-tu faire les prochains vendredis ? Tu ne peux pas
te faire plus de mal que ce dont tu souffres maintenant !*
– *Hum…*
Pause.

– *Je sais : je devrai me trouver d'autres plaisirs…*
Pause.

– *Quels autres ?*
…
– *… D'autres plaisirs à célébrer. Pour l'instant, je ne sais pas.*
– *Et si tu commençais par quelque chose de simple. Maintenant,
ça pourrait ressembler à quoi ce petit quelque chose à célébrer ?*
Pause.

– *Déjà, quand je mange bien aux repas, je me prends un chocolat en guise de récompense.*

Hochement de tête. La décision était prise, *sine qua non*.

– *Il ne me reste qu'à trouver quelque chose de convenable à
célébrer les vendredis.*

Je recommence à pleurer.

– Oui! Mais, elle me manque... En plus, elle va toujours me manquer!...

Joleil a été portée disparue, retrouvée et enterrée au cours des étapes de la pleine lune. Dès lors, et aux prochaines pleines lunes, viendra également la nécessité de me trouver une autre façon de regarder la lune sans heurts, ni pleurs, ni lamentations...

Je suis prudente. Je dois me garder debout, vivante, bien que j'aie été laissée à moi-même dans de telles conditions.

Joleil n'était pas encore enterrée que quelqu'un m'avait tendu les coordonnées d'une psychologue spécialisée en deuils traumatiques. Des honoraires de soixante-quinze dollars l'heure, c'était beaucoup d'argent! Même si nous avions des assurances, je savais que je pouvais avoir besoin de plus de dix rencontres. Ce n'est pas évident, le deuil. Et ce n'est pas une thérapie qui me rendra ma fille.

— Vous ne l'avez pas eu facile! m'a dit un jour mon médecin, plusieurs années plus tard.

...

Malgré le temps passé, le peu de paix qui m'habite ne réussit pas à satisfaire mes énergies et mon équilibre. Sans préavis, du coup, je ressens une peur paranoïde :

La personne qui a mis fin à la vie de Joleil veut-elle revenir et s'attaquer à moi?

Et je me vois directement prendre les chemins tortueux de l'angoisse.

Jusqu'où peuvent mener nos pensées ? Je commence à m'agiter. *Cette personne voudra-t-elle m'éliminer ensuite ? ...*

Je suis seule et en panique. Afin de me soulager de cet embarras, j'éprouve le besoin impératif de me sentir en sécurité. Je fais quelques appels dans des communautés religieuses où je veux aller me réfugier quelque temps. J'ai besoin de changer d'air et d'aller me reposer pour aborder certains sujets de ma vie dans un ordre plus sage et plus concret.

Je suis bien consciente que c'est le début des vacances estivales et la fin des activités pour le personnel de plusieurs organismes. Au téléphone, on cherche à savoir si je suis connue dans une paroisse quelconque. Pour me présenter, je résume, puis raconte mon histoire. Finalement, ça s'éternise. Bref, ce n'est pas de tout repos, cette recherche...

Puis, une dame bénévole en remplacement de la directrice d'un centre tout près de chez moi, accepte de me recevoir. Touchée par mes propos et confidences, elle m'écoute gentiment me révéler. Je peux m'y référer au besoin, mais je trouve ça épuisant de relater mon histoire sans savoir où cela me mène, en plus de me vider de toutes mes énergies. Je ne me sens ni mieux ni plus rassurée en quittant cet endroit.

Au volant de ma voiture encore stationnée, toujours inquiète, je réalise que ça me prend une solution et que ça presse ! Je ne peux revenir à la maison dans cet état !

C'est alors que me viennent à l'esprit une ou deux phrases retenues dans un texte récupéré au salon funéraire. Tiens ! Ça se trouve justement dans le coffre à gants :

— *... Aujourd'hui seulement, je n'aurai pas peur.*

— *... J'aurai une liste de choses à faire et je ne serai pas tenue de respecter cette liste.*

À l'aide de cet engagement envers moi-même, je retrouve mon équilibre. Je reprends la route et mes activités domestiques, baignée d'une nouvelle énergie.

Qué será, será! ...

Saki, notre chien, est là et je le garderai avec moi, dans la maison. Et je me garderai aussi un long couteau, à portée de la main.

Même si la «Grande Joie» est loin derrière et loin devant, j'entame ce virage, sans choix ni alternatives.

...

J'invite Lilou, la petite amie de Joleil, à la maison. Nous refaisons le chemin où la scène s'est possiblement déroulée, près du ruisseau, sans aucune autre idée, car nous sommes encore tenus exclus des informations contenues au dossier.

Pendant que nous déambulons sur le chemin traversant le terrain, je lui parle comme si je parlais à Joleil. Je veux que le cœur de Lilou reste sain, malgré la peine de ces grands virages que nous prenons tous, tâchant de faire chacun de notre mieux.

— Tu sais, Lilou, la personne qui a tué Joleil ne devait pas connaître le bonheur. Quelqu'un qui connaît l'amour vit de l'amour, tu comprends? Sinon, cette personne n'aurait jamais fait cela! Une personne normale ne peut tuer quelqu'un! Toi et moi par exemple, nous ne serions pas capables de tuer quelqu'un, encore moins un enfant!

Et là, Lilou me répond spontanément:

— Ben oui! ...C'est pour ça qu'il aurait tué Joleil! OK! Là, je comprends!

Pause.

— Lilou, je te souhaite de garder ton cœur d'amour pour le reste de tes jours, même dans les pires moments de ta vie ! Je veux juste vivre ma pensée et partager ma paix profonde avec toi pour qu'elle s'agrandisse en chacune de nous et autour de nous.

...

Je recommence à travailler quelques jours plus tard. C'est un projet assez insensé, mais ça me fait du bien de penser à autre chose et de laisser de côté une partie de mon esprit torturé. J'ai aussi besoin de payer mes comptes, responsabilité oblige !

La directrice de l'école vient me rapporter les articles scolaires de Joleil, ses cahiers et ses résultats d'examens, entre autres. Avec curiosité, je feuillette ceux-ci :
— Je sens son énergie, elle est là.
Je lève les yeux en l'air :
— Elle est ici ! Elle est avec nous, j'en suis certaine ! ...
Toutes deux déconcertées, nous sommes d'accord que les mots valent bien peu quand tout nous dépasse.

Joleil lui avait laissé une certaine impression, m'a-t-elle confié, lorsqu'elles s'étaient parlé pour la dernière fois à l'école :
— ...Je croyais parler avec une grande personne.

...

En considérant tout le chavirement de notre petite vie ici, dans cette maison, je remarque l'ennui de notre chien Saki. Il se promène lentement dans son enclos, la tête basse, sans regarder au loin ou de côté, comme si la curiosité l'avait quitté. Je ne veux pas conserver l'endroit comme avant puisque plus rien n'est comme avant.

La décision de réaménager notre espace habitable s'est vite consolidée. Si je veux vivre autrement, il faut faire autrement et ça commence par disposer les lieux autrement.

J'ai tellement profité de la vie lorsque Joleil vivait avec nous! Maintenant, elle vit en nous. À chaque instant de notre vie ensemble, j'ai été consciente de la grandeur et de la beauté du cadeau de sa vie dans ma vie. Je n'ai pas été une mère parfaite. Chose certaine, il en existe d'autres modèles! Et dans mon cas, j'ai tant aimé ma vie de mère!

Prendre soin de quelqu'un sans attente, pour l'emmener ailleurs est pour moi la plus haute expression d'amour qui soit! Assumer le risque de ses erreurs aussi, tout ça pour être enveloppée de cet amour inconditionnel et être capable aussi d'accueillir avec humilité la perte totale de son enfant pour aimer plus et mieux, et pénétrer dans une espérance de vie nouvelle plus qu'ambitieuse...

Dites-moi, quelqu'un, si ça va bien chez moi... Parfois, ce doute me donne un ton intransigeant, alors que j'ai tant besoin de conserver mon équilibre.

Et toujours à mon oreille, avant qu'on ait retrouvé son corps et même après l'enterrement, cette petite voix qui me dit :

— Va, maman, continue sans moi. Tu peux continuer ta vie avec les gens qui t'entourent!

— Joleil, ta vie dans ma vie, je ne peux qu'en être reconnaissante, souffrante et émue aussi, parfois, devant l'immensité de la générosité et de la cruauté de la vie. Le traumatisme de ton décès me déroute et me garde en éveil à la fois. Pourquoi de si grandes joies pour autant de grandes peines ?

J'ai déposé ses vêtements à une église, le plus loin possible de chez nous, et j'en ai rangé quelques-uns dans un coffre. Je n'ai pas le cœur à supporter de voir quelqu'un d'autre les porter... pas cette année.

J'ai aussi distribué ses choses : livres, toutous, jouets, et cetera, à ceux qui les voulaient.

J'ai pris des photos de sa chambre et j'ai déclaré :

— Joleil, ma fille ! Ma fille de corps, ma fille de cœur, ma fille de paix, tu sais comme je t'aime. Ta vie sur Terre avec moi, ta mère, est finie et je te remercierai toujours, mais jamais assez, pour tout ce que j'ai vécu avec toi. Tu es décédée. Ton corps est en terre et ton esprit va suivre sa vie. Je veux que tu vives ta vie maintenant. Cette chambre n'est plus la tienne, ce sera mon bureau dorénavant. Pars vers cette vie où tu vivras à nouveau tous tes autres désirs. Je ne t'envoie pas, ma chérie, je te laisse aller, libre, comme l'énergie qui circule dans le temps. Allez, va ! Je t'ai aimée, je t'aime encore et je t'aimerai toujours, ma belle enfant, mon plus bel amour.

...

Et l'enquête suit son cours.

Pleurant le soir après le souper, je décide d'aller faire une marche. Sur le bord de la rue, je croise deux enquêteurs en voiture. Ils s'arrêtent à mes côtés, je ne peux cacher mes pleurs. L'un d'eux baisse sa vitre. Sans saluer, je m'enquiers :

— Vous avez des enfants, vous ?

— Oui.

— Si vous pensez que c'est facile de vivre un deuil, la mort de son enfant ! En plus, on me suspecte de sa mort, monsieur... Vous ne pouvez imaginer ce que c'est ma vie maintenant !

— Je vous comprends, madame. Ce n'est pas facile... Nous faisons notre travail.

— Je veux bien, ...mais avez-vous encore besoin de circuler dans les parages bien longtemps ?

— ... Nous tenterons de nous faire plus discrets.

— Entendu !

En les regardant s'éloigner, je veux les retenir. Parler, parler, parler de ce qui occupe constamment mon esprit et me tient le plus à cœur au monde : l'enquête. Qui a tué ma fille ? Que savent-ils que je ne peux savoir, là, maintenant ? Comment puis-je mieux les aider ? Oui ou non, suis-je encore suspecte ? Que nous cachent-ils ?

Je dois me raviser, car ce n'est pas mon rôle d'enquêter. Je ne suis que la mère d'une enfant bassement assassinée, sans représentation exacte ou approximative des faits.

Je me raisonne constamment, car des hypothèses, il en survient de toutes sortes et à tout moment !

...

Un peu plus tard, on me demande de passer au détecteur de mensonges. Une autre affaire ! Je roupille d'ennui devant tant d'actes inutiles et insensés !

Eh oui ! Encore une procédure !

Et pour comble, ils n'ont pas manqué d'ajouter de la sauce en option...

– Madame, si l'on ne vous fait pas passer le test tout de suite, mon patron va le constater et il me le demandera dans six mois. Croyez-moi, ça sera encore plus difficile de revenir là-dessus plus tard, alors que maintenant c'est encore tout chaud pour vous ! Après, on vous laissera tranquille.

À bien y penser, ça sera une bonne affaire qu'ils regardent ailleurs. Et plus vite ce test sera passé, mieux cela vaudra ! Alors cessera de peser sur moi ce doute qui m'alourdit le corps et l'esprit !

Après m'avoir branchée sur l'appareil, on m'en explique le fonctionnement ainsi que le déroulement de la procédure. Le test est assez bref. Un tantinet tendue et, par à-coups stressée, je réponds aux quelques questions. Puis, j'attends seule les résultats dans un minuscule bureau. Je suis consciente du temps qui file et l'attente me semble très longue. Je m'ennuie et je perds patience, ne tenant plus en place.

Qu'est-ce qui se passe ? Où suis-je ? On m'a oubliée ! Il n'y a rien ici pour m'occuper ! Ça n'a pas de bons sens ! S'ils me laissent seule aussi longtemps, il se passe quelque chose ! Mais quoi ?

De retour enfin, l'homme déclare :

– Madame, si vous voulez un avocat, nous pouvons vous en procurer un, ça ne prendra que quelques minutes pour qu'il soit ici. Ils sont en bas, dans le même édifice. J'ai juste à faire un appel.

— D'accord, merci! Mais pourquoi aurais-je besoin d'un avocat?

Petite pause.

— Les résultats démontrent que vous auriez quelque chose à voir avec la mort de votre fille.

Autre petite pause.
La tension monte…

— Ah oui! Je peux avoir tué mon enfant et ce ne serait pas quelqu'un d'autre! C'est ce que vous dit votre appareil! Ça va bien pour l'autre, mais pas bien pour moi!

Court silence.

Puis, je m'élance, d'un ton assez irrité, presque en colère:
— Monsieur, votre machine est défectueuse et je n'ai rien à voir avec la mort de ma fille! Trouvez-en une autre! Celle-ci ne fonctionne pas!

Prête à hurler, j'en avais assez de ce cirque! Quoi d'autre pouvait-il encore m'arriver? Je sentais l'huile chaude me monter à la tête.
Et c'est là qu'il me lance:
— Madame, attendez! Je dois ajouter quelque chose: vous n'êtes pas responsable de la mort de votre fille. Nous avons joué un rôle. Veuillez nous en excuser. Vos résultats sont normaux.

Vous n'avez rien à craindre, je vous le promets, les tests le démontrent. Je peux vous le confirmer et je le confirmerai personnellement au dossier : vous n'êtes pas responsable de la mort de votre fille.

Je n'écoutais plus. Je me lève :
— Je veux partir d'ici !
— Venez !

Je suis seule, avec deux ou trois policiers. S'ils sont en civil ou en uniforme, je ne m'en souviens pas. Longeant les corridors, je me sens assez nerveuse pour devoir m'enjoindre de me calmer ! Pressant le pas, nous nous dirigeons vers la sortie. Que dire de plus ? Ils font leur travail ! Dans un état assez lamentable, je regagne ma dignité, épuisée et sous tension. Encore debout, mais au bord de la crise de nerfs.

Une fois dehors, je regarde le ciel, clignant des yeux mouillés :
— *Merci, Joleil !*
Puis, marchant droit devant, je respire l'enfance disparue :
— *Joleil, toi, ma joie et mon soleil... Je t'aime toujours !*

...

J'ai bien fait une demande à l'IVAC pour de l'aide psychologique ou une indemnisation. Mais encore remplir le même formulaire ne fait que tourner le couteau dans la plaie ! Et à quoi m'attendre une fois arrivée à la fin du processus ? Me retrouver à démontrer mon mal de vivre ? Et pour me faire répéter ce qui me semble une absurdité :

— Madame Senécal, vous n'êtes pas considérée comme une victime d'acte criminel. C'est votre fille qui est considérée comme telle.

— Oui, je comprends, mais ma fille est décédée! À quoi servent vos services?

Devant ce genre de réponse, les pensées s'entrechoquent dans mon cerveau. C'est une valse d'aberrations, de gauche à droite, de haut en bas, du centre et en périphérie, une spirale en mouvement incessant qui se dirige dans tous les sens. Combien sommes-nous à tournoyer ensemble dans cette chorégraphie?

— Comment garder son calme et sa paix intérieure devant une évidence de «maudit— gros mauvais —bon—sens»? Où est la logique?

En plus, j'apprends que si cette loi d'aide aux proches des victimes est adoptée, elle n'est pas encore appliquée. C'est ce que j'ai compris, car je m'exprime assez bien en français, mais ça ne m'empêche pas de porter en plus, dans mon cœur et dans mon corps, toute la peine du monde!

Eh! Que je me sens isolée!

...

LA VIE CONTINUE SANS JOLEIL

Un faible semblant d'espoir et de paix illumine temporairement et tristement la suite lorsque nous recevons l'appel d'un enquêteur. Finalement, ils arrivent chez nous et nous informent des dernières nouvelles, mettant ainsi un terme à leur essoufflement. Enfin, c'est ce que je comprends.

— Après avoir mis tous les moyens possibles à contribution, voici la situation : nous ne fermons pas le dossier, mais il restera sur la tablette et il sera considéré comme «AFFAIRE À RÉSOUDRE». Nous avons d'autres causes en cours. L'équipe d'enquêteurs a diminué en nombre et nous continuerons la vérification de chacune des informations qui nous seront soumises au fil du temps. Pour l'instant, en dépit de nos appréhensions, nous n'écartons aucun suspect potentiel. Par exemple, si nous avons des doutes sur les alibis de monsieur ou de madame X, au moindre autre délit, nous reviendrons sur les faits et nous lui réserverons notre cuisine. D'ici là, nous cherchons encore un motif, des aveux. Il ne nous reste plus qu'à espérer de nouvelles informations...

Je demeure néanmoins attentive à l'évolution de la situation et, en parallèle, je scrute chaque jour les journaux. Le crime existe, il est bien réel, car il en survient d'autres, semaine après semaine...

L'autre court toujours...

...

Je m'entête à croire que je suis capable de m'en sortir. Mais comment faire face à ces épreuves, à ces défis et aux solutions ? Quelques amis sont à l'écoute, mais trop peu pour mes besoins : un aidant a ses limites. Je reçois surtout des silences ou des phrases lâchées de façon presque désinvolte à perdre ses moyens dans l'impuissance :

— Je ne sais pas comment tu fais, moi, je n'en serais pas capable !

— Le temps arrange tout ! ...

— C'est la vie...

— Les choses n'arrivent qu'à ceux qui sont capables de les vivre...

Bien oui ! ...

Quand je parle de mon histoire, puisqu'il arrive que je doive justifier mes actions lors de certaines sorties, des gens pleurent devant moi au souvenir d'un enfant avorté ou perdu lors d'un accouchement. Quand je parle de ma fille, ça fait remonter chez les gens des émotions et des réactions inattendues. J'ai souvent vu des poils se hérisser sur les bras : les mères aiment parler de leur progéniture, mais en d'autres termes. En fait, on ne veut pas en entendre parler. Le moins souvent et le moins longtemps possible et je les comprends ! Mais ce n'est toutefois pas l'effet que je désire provoquer... J'ai moins besoin de sympathie que d'appui et de soutien ! Je manque de repères. Je ne sais que faire ni comment faire. Je ne veux pas taire le nom de ma fille et je ne veux pas l'afficher plus qu'il ne l'a déjà été...

... Méandres des difficultés d'adaptation bien en vue, loin devant, longtemps !

...

Je ne peux concevoir une injustice plus grande que celle de perdre un enfant. S'il existe une réelle justice, elle est de l'ordre d'un autre «delà». Je laisse donc au destin le soin de se compléter : que cela se produise comme cela est déjà en train de se faire ! Quant à l'auteur du décès de ma fille, la vie se chargera d'une façon ou d'une autre de tout ramener à l'ordre. Cette réflexion, c'est ma réalité. Par crainte de rester paralysée dans le spectre émotionnel de sa mort avec elle, ici... Et, ce comparatif est inscrit dans ma zone de l'interdit : je refuse d'être enfermée inlassablement dans le cercle de la douleur, sinon j'y serais encore et toujours.

En fait, je conserve en moi nos souffles, nos touchers, nos regards empreints d'une incommensurable tendresse, nos rires, nos rapprochements, nos laisser-aller, tout comme nos becs de cils, nos becs de joues. Et que dire de nos sourires en becs d'orange le matin, chacune avec un quartier, tenu entre nos lèvres, à s'embrasser.

Je t'ai contemplée, ma fille, avec tant de gratitude ! Tous nos sourires sont gravés dans ma mémoire ; dans mon cœur ; entortillés dans mes entrailles ; dans mes gestes aussi et dans mes paroles ; en chansons ; insérés dans mes multiples tâches au quotidien, jour et nuit... Ces sourires existeront encore, année... après année.

J'ai lavé les murs, les rideaux et les meubles pour en détacher son odeur ; elle y demeurait toujours. On m'a dit que je devrais repeindre si cela persistait.

Je crois que les odeurs du nouvel ameublement et des livres de la bibliothèque ont finalement pris le dessus. Mais parfois… il arrive que j'en doute.

J'ai compris la raison, cinq ans plus tard, en déménageant son bureau.

Quand j'ai voulu déplacer ce meuble, j'ai découvert en dessous du dernier tiroir, resté collé contre le bois rugueux, le bas d'un des pyjamas de Joleil.

J'ai tenu ce morceau de vêtement entre mes bras, l'ai pressé de mes mains. Je l'ai appuyé sur ma poitrine ; l'embrassant de mes joues avec un sentiment de peine étouffé, dans un sourire tout aussi béat, le cœur encore vautré dans l'indéfini.

J'ai fermé les yeux quelques instants et j'ai respiré longuement… Quel cadeau, cet instant !

Quel enfer aussi : ça sentait la poussière…

Et je dus encore te quitter, ma fille.

2ᵉ PARTIE

L'arrestation du présumé meurtrier après seize ans de cavale, le procès et la suite de cette saga risquent d'être une lecture fastidieuse et intense.

La seconde partie de ce témoignage concerne autant le débat personnel de mes réflexions que les étalages de grands faits.

Ce nouvel itinéraire a été plus complexe à l'écrit et tout aussi complexe en pratique. La solitude a été mon énergie, propre à propulser mon dynamisme concurrent.

Pour expliquer et répondre à la question, «Comment tu fais?», j'ai abordé dans la première partie le fonctionnement scolaire de Joleil. J'y ai découvert une source de jaillissement, comme un coffre d'outils à utiliser au fil des jours.

Je propose dans cette seconde partie du livre une visite dans l'univers unique de l'amour inconditionnel, d'âme à âme, amplifié jusque dans chaque souvenir, chaque éclat de rire au quotidien, dans le respect de la vie et de ses plaisirs abondants.

Autre début de restructuration de vie…

8

RETOUR À LA RÉALITÉ

Nous sommes en septembre, trois mois après le décès de Joleil. C'est la rentrée scolaire.

La direction de l'école refuse mon retour et ma participation en tant que parent co-éducateur. Je les comprends. Mais j'aurais tant aimé être là, avec eux ! Je sais pourtant qu'il est tout à fait plausible que ma présence occasionne inévitablement et de toutes parts, un surplus de réactions à gérer. Malgré tout, je suis exclue.

J'apprends que plusieurs familles ont eu recours à de l'aide psychologique. Je ne peux qu'en être désolée… D'un autre côté, j'envie un peu leur chance d'avoir accès à ce genre de soutien qui n'est pas à ma portée.

Beaucoup de gens ont été touchés par le décès de Joleil. Le personnel, les élèves et les parents, la douleur est encore vive et le traumatisme encore présent, car, semble-t-il, certains jeunes ont manifesté le désir de mourir comme Joleil.

La portée émotionnelle d'un cas de mort violente touche intensément les tenants et aboutissants de la conscience humaine.

Pour moi, il est normal et naturel de reproduire un évènement exceptionnel afin de le démystifier et de mieux le classer dans le mental rationnel. La représentation symbolique est propre à chacun, y compris celle de la mort. C'est un aspect réactif sain. Cela ne veut pas dire que l'enfant veut mourir pour vrai ! L'enfant veut simplement intégrer innocemment la réalité de la mort en jouant un rôle, comme lorsqu'il le fait dans n'importe quel jeu d'imitation. Tous les enfants veulent s'améliorer et apprendre ; ils imitent donc le monde qui les entoure pour développer leur pouvoir imaginaire. Ils « font semblant », comme de se raser avec papa ou de se battre avec une épée contre un dragon qui crache du feu ; comme de voir la casse qui va se produire s'ils font s'entrechoquer deux voitures ; ou quand ils détruisent un château de sable tout juste achevé... Voir ce que ça fait en imitant, c'est en partie construire leur système d'adaptation aux réalités de la vie. Je ne vois pas autre chose, à moins que l'équilibre de l'enfant n'ait été bouleversé à nouveau, en raison d'une perturbation antérieure déjà associée à la perte.

Je crois que la vie et la mort sont des zones sensibles dans l'exploration de la connaissance, mais l'importance de la vie et de la mort font partie de nos vies qu'on le veuille ou non ! D'un autre côté, face à l'inquiétude collective associée au drame, à mon impuissance à y changer quoi que ce soit et à mon exclusion, je n'ai d'autre choix que l'abnégation.

Et les enquêteurs rôdent toujours.

Une belle surprise, cet automne-là, a été la réception d'un cadeau de la part du personnel du service pédagogique de la Commission scolaire : une invitation à participer à un séminaire de deux jours sur les pertes et les deuils[9]. Cette attention portée à

---

9 Animé par Jacques Salomé.

mon égard a été initiée par Évelyne Perras[10], spécialiste en ortho-phonie et audiologie, conseillère pédagogique et intervenante dans les classes de l'école de ma fille. Je lui suis extrêmement reconnaissante de sa contribution, de l'empreinte laissée durant son mandat et de son apport exceptionnel aux élèves, aux parents et aux enseignants! Évelyne s'est passionnée pour la théorie du respect qu'illustre si bien Jacques Salomé lorsqu'il parle d'hygiène relationnelle dans son programme d'apprentissages sur la communication. Jacques Salomé est un auteur français prolifique, psychosociologue, professeur, conférencier et anima-teur d'ateliers et de séminaires sur la communication écologique et vivante. Sa façon d'aborder les plus gros des problèmes dans le simple quotidien a changé ma vie, car pour lui «tout est ques-tion de relation et de positionnement». Oui, j'ai l'air de faire de la vente d'idée, mais je vois dans sa pensée un outil précieux à ajouter dans ma boîte à outils.

Joleil avait rencontré Jacques Salomé quelques mois avant son décès. Durant l'été 95, je lui ai écrit, expliquant brièvement la gravité des changements dans notre situation familiale. Il m'a répondu aussitôt dans un court texte, m'offrant naturellement ses sympathies. Il m'a aussi recommandé la réconciliation avec moi-même et avec le deuil en me proposant l'exercice symbo-lique suivant:

… «Allez porter sur la tombe de Joleil un objet représentant la violence déposée sur vous, causée par sa mort si jeune. Com-prenez-moi bien, Madame Senécal, ce n'est pas vous ni Joleil qui êtes violentes, mais la mort de votre fille si jeune dans votre vie.»

---

10   Décédée le 22 juin 2005.

D'accord, j'y penserai, Jacques. Et j'y ai pensé.

Quelques semaines plus tard, me rendant au séminaire sous le thème de «Renaître à la vie», je croise ce célèbre personnage dans l'entrée avant que ne commence la journée. Il me reconnaît parmi la petite foule amassée, il me salue, je lui souris, puis il me questionne:

— Avez-vous fait ce que je vous ai demandé?

— Si je suis allée déposer sur la tombe de ma fille un objet représentant la violence causée par sa mort si jeune dans ma vie?

— C'est bien cela!

— Non.

Il se retourne pour s'en aller et je le rattrape avant qu'il ne me quitte. Il ajoute ceci, puis s'en retourne de nouveau:

— Nous n'avons plus rien à nous dire!

Je le rattrape, lui touche le bras:

— Monsieur Salomé! À l'heure du dîner, je vais y aller. Je suis ici pour en apprendre davantage pour vivre mieux. Que me vaut ma présence si je n'applique pas vos leçons?

La moitié de la journée est passée. Je prends ma voiture et roule en territoire amérindien. Je m'arrête sur le bord du chemin et cherche une pièce, un objet quelconque pouvant bien représenter cette violence à remettre… et qui pèse lourd sur moi … J'y avais réfléchi. Je repère donc un bloc de ciment dans un champ rempli de détritus. J'arrête la voiture, je me dirige vers celui-ci, le soulève et viens le déposer dans le coffre arrière de ma voiture. C'est assez pesant! …Ô qu'elle pèse lourd cette violence dans ma vie! Au même moment, une dame au loin sort de sa maison. Je la vois se démener sur son balcon, elle va et vient, les bras en l'air. Il est trop tard pour faire marche arrière. J'ai peur qu'elle sorte une arme ! Vite ! Je referme la portière du coffre arrière ; je monte dans ma voiture et repars… en trombe.

En route pour le cimetière !

J'ai chaud ! Mon cœur se met à battre à tout rompre, mon pied tremble sur la pédale d'accélération, puis je tente de retrouver l'équilibre de mes énergies en oubliant mes craintes. J'aurais bien aimé lui expliquer la situation, mais…

Je me calme rapidement.

Je traverse la grande ville de Montréal par ses voies rapides jusqu'à l'une de ses nécropoles. Arrivée, je m'installe avec crayon et papier sur le gazon devant la pierre tombale familiale du père de Joleil et j'écris :

Ma petite Joleil, mon amour touroulour tout l'tour, ma petite fille adorée ! Tu sais que je t'aime toujours !

Je dépose ici, en guise de symbole, ce bloc de ciment représentant la violence causée par ta mort si jeune dans ma vie. Je te la rends, ma fille, elle ne m'appartient pas. Entends bien ceci, Joleil, ce n'est pas toi qui es violente, ni moi, mais bien ta mort si jeune dans ma vie. Sois rassurée, je t'aime à vie. À Dieu, ma fille !

Donna, ta maman, XXX0…

Je roule le papier et l'enfonce dans la terre en répétant les mots transcrits. Je les connais par cœur. Je me recueille. J'embrasse l'épitaphe du regard et de la main.

Quelques instants plus tard, au volant de ma voiture, apparaît un court instant le mot «REFUS», comme une image en hologramme au-dessus de ma tête. Puis celui-ci s'estompe rapidement en fondu vers la gauche. Je suis surprise et calme devant cette sensation nouvelle, puisque je prends graduellement conscience d'un changement qui se produit à cet instant, comme une légèreté soudaine dans mon corps qui, je le sens, fractionne aussi mon esprit. Serais-je maintenant dans de meilleures dispositions pour vivre mon deuil? Oui, je le crois. J'ai perçu une énergie réelle et différente au constat de cette action-réaction: il s'est passé quelque chose.

Un des défis suivants a été la difficulté de partager ce type d'expérience. Je ne suis qu'au début de nouvelles peines pour parler de ce que je vis aux autres. Cet incident tombe dans le domaine de l'inexploré; il existe peu de références pratiques pour l'expliquer, sinon des contre-arguments, de l'incompréhension, de la fuite, de l'incrédulité, si ce n'est de l'intolérance!

Novembre, le mois des morts

Le deux de ce mois, je suis invitée à célébrer la fête des Morts à l'Oratoire Saint-Joseph du Mont-Royal. Je m'y présente et, si je ne me trompe pas, madame la chauffeuse d'autobus scolaire de Joleil s'y trouve également. Après la célébration, il y a un rassemblement à la cafétéria. Un café en main, je me joins aux prêtres présents et leur pose «la» question:

— Mes pères, j'ai une question pour vous. Vous, les prêtres, quand vous vivez une très grosse peine, que faites-vous? Comment vous y prenez-vous pour faire face à des peines majeures lorsqu'elles vous arrivent? Vous êtes des hommes de grande foi; à votre avis et compte tenu de vos expériences, y a-t-il quelque chose à apprendre? Parce que, voyez-vous, moi, je vis un deuil, la mort violente de ma jeune enfant, et tout me semble si démesuré.

Un silence suit la question, puis l'un d'eux répond :
— Bien, nous en parlons...
— Ah oui ?
Je n'apprends rien.
— Avec qui ?
Encore un silence.
— ... Entre nous !

J'ai soudain perçu l'humanité chez ces prêtres, des hommes qui souffrent comme vous et moi, à la différence près que je suis isolée, sans clan qui m'entoure, privée d'en parler. Par respect pour les sentiments d'autrui ou par manque de courage peut-être, mais surtout pour ne pas affecter davantage mon entourage. Je suis encore à la recherche de la baguette magique qui va me simplifier la vie en me permettant d'intellectualiser l'incompréhensible.

...

Longue l'attente de l'heure
Lourde la peine en nos cœurs
Mais si grand notre amour
Notre foi en toi
Et difficile
De te comprendre
Parfois...[11]

Durant l'été, j'avais reçu en cadeau une cassette de l'album *D'eux* de Céline Dion. Ces chansons m'ont accompagnée tout le reste de l'année. Que de tendresse ! Que de sensibilité ! Ces chansons ont été composées sur mesure pour moi et Joleil. J'y ai

---

11   Refrain de la chanson *La mémoire d'Abraham* de Céline Dion, *D'eux, 1995.*

versé toutes mes larmes de peine et d'amour sans jamais essayer de les retenir. J'ai aimé exprimer ma peine, jusqu'à la laisser sombrer au fond du puits de l'Inconditionnel Amour.

Merci, Céline !

...

L'envoi des cartes de remerciements ne me tente tout simplement pas. Certes, ces marques de sympathie me gardent le cœur au chaud et je sais que je ne peux me soustraire à cette tâche qui me semble trop lourde. Je résiste à mettre un terme à cette étape, à fermer le couvercle sur tous ces messages d'amour qui, par leur empathie et leur compassion m'ont accompagnée et aidée à soulager ma peine. J'en suis encore à vivre mes émotions en contrastes : joie et tristesse ! Et je ne suis pas encore prête à effectuer la transition sans me sentir dénudée, considérant le peu de laine qu'il me reste sur le dos. J'ai la sensibilité à fleur de peau, surtout lorsqu'il s'agit de la reconnaissance et du soutien dont j'ai besoin mais, concrètement, c'est à croire que je suis la seule à le savoir.

Je profite du choc thermique de décembre pour me donner un solide coup de pied au bon endroit. Six mois après le décès de Joleil, je réussis finalement à envoyer près de deux cent cinquante lettres de remerciements. En fait, j'ai remercié les membres des trois familles, les dignitaires, les différents groupes de bénévoles, et tous ceux dont j'avais les adresses dans le courrier qui m'était parvenu.

...

Quand tu dois t'affranchir pour te sortir de ton marasme, quand la détresse s'empare de ta vie, tout ce qui se présente à toi est bon. Je ne souhaite pas ce que j'ai vécu à qui que ce soit, mais je souhaite à tous le don de la persistance dans chacune des réalisations qu'ils désirent accomplir.

– Comment tu fais ?

Cette question me surprend quand on me la pose, car elle s'oppose à l'autre commentaire : « ...On évite d'en parler ! »

Si j'aborde la théorie de l'écologie relationnelle de Salomé, on me tourne le dos. Même les personnes les plus proches de moi préfèrent ignorer ce genre de discours ; quant aux autres, je devine vite leur impatience au bout de quelques minutes d'attention. Malgré ces attitudes, je persiste à tenter de comprendre mon besoin de parler et leur besoin de faire silence.

Je comprends qu'il n'est pas donné à tout le monde de pouvoir changer ses perceptions, de passer de la certitude au doute... ou d'acquérir d'autres certitudes, d'autres doutes. Mais, même si nous vivons tous la même perte, la partager implique une démarche trop intime, trop personnelle finalement.

...

Joleil vivait encore, c'était au cours de la dernière année de sa vie.

Sa rencontre avec Jacques

J'avais accepté l'invitation à une conférence sur la communication, donnée par Jacques Salomé, offerte aux professeurs et aux parents intéressés, en collaboration avec la Commission scolaire. Ce qui, pour moi, suffisait à en garantir la qualité.

À la suite de la présentation de M. Salomé, et à partir de ce moment, j'ai eu la certitude de pouvoir arriver à résoudre certaines situations complexes de ma vie et à trouver un profond soulagement. Enfin ! Depuis le temps où, dans mon parcours, j'ai dû faire face à tant de malaises et à tant de questionnements restés sans réponses...

Je ne comprenais pas encore tout le sens de son enseignement, mais une *groupie* voyait le jour. Tout ce qui touche à l'efficacité du rapport entre deux individus m'intéresse. Je suis toujours passionnée par les gens et j'ai un réel besoin de mieux me connaître et de mieux comprendre le comportement de l'être en apprentissage. Je n'avais pas fini de grandir... et je n'avais d'autre besoin que celui d'offrir une substance plus productive dans l'éducation de ma fille.

Ce n'était pas évident sans soutien expérimental. Tandis que pour Joleil et ses pairs écoliers, c'était dans l'ordre du connu. À l'époque, Évelyne venait régulièrement dans sa classe pour parfaire cette formation avec les élèves et avec Joy, son enseignante.

Devant un premier succès et à la demande générale, une autre conférence eut lieu. Cette fois, des élèves de l'école ont été invités à poser des questions à Jacques avant le début de la conférence. J'en ai parlé avec Joleil qui a accepté l'invitation. Trois élèves ont eu droit à une question chacun.

— Joleil, tu as une idée de la question que tu vas poser à Jacques Salomé ?

— J'ai deux questions.

Je suis enchantée de son intérêt.

– Ah oui? Sais-tu qu'il y aura deux autres élèves avec toi et que vous n'aurez la chance de poser qu'une seule question chacun?

Silence.

Je me risque.

– Si ça te tente, tu peux me parler de ces questions.

Elle se prend un temps de réflexion puis me répond:

– La première, c'est pourquoi il travaille dans la communication et pour la deuxième, c'est personnel.

– D'accord...

J'attends pour voir si elle a autre chose à ajouter, puis j'improvise.

– Pourquoi il travaille dans la communication? Il en parlera dans sa conférence et la réponse intéressera tous ceux qui seront là. Pour ta deuxième question, si c'est personnel, la réponse ne sera que pour toi.

J'en reste là.

Le soir de la rencontre, près de la porte de l'auditorium, Jacques est assis derrière une table rectangulaire. Trois chaises sont installées devant lui pour nos jeunes intéressés. Plusieurs personnes vont et viennent tout près.

Les jeunes arrivent et s'installent. Évelyne présente Jacques et introduit le but de la courte rencontre. Jacques se tourne vers Joleil. C'est à elle de commencer.

– Bonsoir! Quel est ton nom?

– Je m'appelle Joleil.

– Joleil, tu as une question pour moi?

Joleil fait signe de la tête.

– D'accord.

C'est le silence. Je vois la tête de ma fille se déplacer et ses yeux bouger de gauche à droite, elle hésite, ses lèvres sont serrées. Je l'entends soupirer, je la sens, oui, un peu mal à l'aise. Moi, sa mère, je la regarde, attendrie, sourire au cœur, un tantinet désemparée... et retenant mon souffle, attentive. Évelyne et moi, nous nous jetons un regard avec un petit sourire au coin de l'œil.

— Prends ton temps, Joleil! lui dit Jacques.

Du coup, elle s'élance:

— C'est que je suis gênée de parler devant la classe.

Jacques s'approche d'elle, se penche un peu, la regarde dans les yeux et lui dit doucement en tendant l'oreille:

— Et cette gêne, elle est importante pour toi?

Elle répond avec de petits coups de tête rapides de haut en bas:

— Oui!

— Si tu me permets, Joleil, j'ai juste une chose à te demander: tu vas prendre un objet qui représente ta gêne et tu vas en prendre soin. Tu as bien compris cela?

— Oui.

Suivant.

Je ne me rappelle pas avoir écouté les questions des deux autres élèves, tant j'ai été impressionnée par une aussi grande révélation de la part d'une si jeune enfant! J'appréciais son intelligence et, à ce moment-là, rien n'aurait pu être égal à ma fierté maternelle. En plus, j'apprenais quelque chose sur son désir intime d'évoluer au sein d'un groupe.

En quittant le stationnement dans l'obscurité du soir, je réfléchis à la déclaration faite à Jacques, tout en laissant à ma fille un espace pour ses propres pensées, alors qu'elle attache sa ceinture de sécurité.

— Puis ? Tu as aimé ta rencontre avec Jacques ?

Son regard est rivé sur le dehors, je soupçonne qu'elle est attirée par les ombres et les lueurs nocturnes créées dans les virages par les phares de la voiture. Elle me répond prestement :

— J'ai une roche dans mon bureau.

Silence.

— D'accord…

Je comprends son intention et j'en reste là pour ne pas briser sa bulle qui contient sans doute toute l'énergie du processus. Je l'observe de biais tandis qu'elle persiste à observer l'extérieur. J'imagine son étonnement de se retrouver dehors à cette heure tardive, en plein milieu de la semaine scolaire ; et surtout de son implication personnelle au niveau des grands.

Le lendemain, dans sa classe, en fin de journée, elle fit une présentation de son projet sans que je réalise l'importance de cet évènement.

Durant la préparation du souper, elle est à la table et moi dans la cuisine. Je prends de ses nouvelles :

— Comment ça s'est passé aujourd'hui à l'école ?

Elle me parle de sa présentation. Je suis distraite à cuisiner, le couteau à la main, les légumes dans l'autre, casseroles sur le feu. La télévision est allumée… Je réalise qu'elle est volubile et qu'elle raconte quelque chose à propos de son projet sur Van Gogh. Pour la première fois, elle semble intéressée par son sujet et je commence à me rendre compte que j'ai manqué quelque chose… Je suis déçue, sachant que, pour elle, si s'attabler à un projet est tout un défi, devoir le présenter devient encore plus complexe. Cette fois, je sens beaucoup d'attention dans le poids de son expression, même si l'effet de sa rencontre de la veille, avec Jacques, m'échappe encore.

— Oh non… J'ai raté quelque chose… Je regrette tellement de ne pas avoir été là ! Peux-tu la recommencer, ta présentation, dans une autre classe un jour ? J'aurais tant aimé voir ce que j'ai manqué !

Déçue, je n'attends pas de réponse. J'imagine que ça peut s'arranger avec son professeur. Une chose est certaine, sa présentation a dû être remarquable, et moi qui écoutais à peine ! Je l'entends s'exprimer sans hésitation, alors que d'habitude ses projets sont entremêlés, évasifs et qu'elle hésite souvent à parler de sa démarche. D'autant plus qu'après avoir visionné le film sur la vie de Van Gogh, nous n'étions pas revenues sur le sujet de sa recherche. Comme j'aurais aimé être là pour entendre ce qu'elle a rendu en classe !

Je croise Joy, son professeur, dans le corridor de l'école quelques jours plus tard. Elle me demande si je sais ce qui s'est passé avec Joleil le lendemain de sa rencontre avec Jacques Salomé.

— Non !

— Attends, ce n'est pas tout, je te raconte !

En entrant en classe, c'est la période avec Évelyne. Les élèves sont dans le cercle de la communication et comme pour cacher quelque chose, Joleil tient ses mains fermées l'une contre l'autre.

Évelyne devine ce qui se passe. Elle l'invite donc à prendre la parole :

— Joleil, je vois tes mains, elles sont fermées, as-tu quelque chose à montrer ?

Elle ne répond pas.

— C'est bien, tu pourras nous en parler quand tu te sentiras prête.

La période prend fin et Évelyne remarque alors les mains ouvertes de Joleil. Celle-ci réitère sa demande :

— Joleil, tu veux nous montrer ce que tu tiens dans ta main ? Veux-tu nous en parler ?

Cette fois, elle s'adresse au groupe :

— C'est ma roche. Elle représente ma gêne quand je parle devant tout le monde dans la classe.

— Cette roche, c'est ta gêne de parler devant la classe ?

— Oui.

— C'est bien, Joleil, merci à toi…

En fin d'après-midi, c'est l'heure pour Joleil de faire la présentation de son projet. Elle se dirige en avant, dépose sa roche sur le coin du bureau. Seule devant la classe, elle a fait sa plus belle présentation à ce jour.

Les élèves sont fiers de la performance de Joleil, qui a réussi à surmonter son défi. On l'applaudit chaleureusement.

Je ressens de la fierté et une immense tendresse à l'égard de ma fille et de sa réussite.

— Attends ! Malheureusement, ça s'est mal terminé pour elle, pour tout le monde en fait !

— Oh non !

— Bien oui ! À la fin de la présentation, la cloche a sonné et, dans un élan de joie, tous les élèves se sont levés en même temps et se sont précipités vers elle pour lui faire un gros câlin de groupe. Prise de panique, Joleil s'est mise à hurler en guise de protestation. Imagine la scène : c'était tout entremêlé de cris de joie et de hurlements.

Un peu déçue, je pouvais imaginer la scène et l'ampleur de la cacophonie ! Mais j'étais aussi profondément touchée et foncièrement heureuse.

— Il s'est passé quelque chose de bon tout de même, a souligné Joy.

— Tu as bien redresser les choses, parce que Joleil ne m'en a pas parlé.

Son enseignante poursuit :

— Tu sais, la roche de Joleil a eu un effet très révélateur sur le groupe.

— Ah oui ?

— Lorsque je suis entrée dans la classe le matin suivant, j'ai remarqué un objet déposé sur le coin du bureau de plusieurs élèves. J'ai laissé aux jeunes le soin d'exprimer la signification de l'objet symbolique. J'ai reçu beaucoup d'information à ce moment-là sur leur motivation personnelle, sur ce qu'ils vivaient soit à l'école ou à la maison, ce qui m'a permis par la suite de mieux cibler mon attention sur chacun d'eux.

Nous étions d'accord, cette formule avait été très efficace. Cette expérience a permis au professeur de découvrir les enfants et de les aider à se dire et à être entendus, à exprimer ce qui se cache derrière des comportements ou des situations souvent difficiles à décoder, que ce soit dans leurs relations personnelles ou dans leur environnement.

...

Vivre ces évènements de remise à l'ordre m'a donné une espérance ferme face aux beautés cachées de la vie et au possible retour du pendule puisque, depuis mon enfance, je suis à la recherche constante d'un mieux-être, d'un apprentissage pour mieux vivre ma vie. Je suis rassurée de pouvoir réduire en simples perturbations et désenchantements les difficultés causées par les manques, les silences, les trop-pleins, les violences, les blessures, la souffrance et les compensations de toutes sortes. Ces apprentissages m'ont énormément servie, tant pour l'éducation de ma fille que dans ma valorisation en tant que femme, mère, conjointe, ex-enfant...

...

Tolérer la détresse

Pour moi, la vie et la mort de Joleil ont un sens maintenant. Et je veux en témoigner, car la façon dont j'ai vécu le décès de ma fille n'a pas été comprise par l'ensemble de mon entourage.

Je refuse la victimisation en donnant du sens au non-sens. Je me sens responsable et rationnelle, capable de résoudre d'instinct et de régler ce qui m'accable, faute d'autres moyens. Mes nouveaux outils m'ont peut-être donné une trop grande confiance en moi, mais je risque le tout pour le tout. J'ai, en caisse, suffisamment de moyens pour consciemment prendre en charge mes actions et émotions même si, pour plusieurs, cette technique peut sembler abstraite à prime abord.

Que puis-je reprocher à quelqu'un qui a posé un geste irréparable que je ne puisse me reprocher à moi-même qui, de mon côté, ai tenté de me faire avorter à quelques semaines de grossesse?... Moi aussi j'ai eu l'intention de mettre un terme à la vie de cette enfant. En vouloir à cette personne, c'était aussi m'en vouloir!

Et si j'en veux à qui que ce soit pour la mort de ma fille, je salis mon cœur, mon esprit, mon corps et mon temps. Dois-je en vouloir aussi à la mère de l'assassin de l'avoir mal élevé? Si c'est le cas! À son père, à sa famille, à sa parenté, à son environnement, à la société en général? Qu'en sais-je? J'en voudrais à tout le monde? Y compris à moi-même? Non, non, non, c'est trop lourd à porter! La vie ne comporte pas que des orages et le beau temps a plus d'une raison d'exister.

Autodidacte, je devenais non conforme et marginale.

...

L'acceptation est la dernière étape du processus du deuil, je l'ai insérée dans les toutes premières. Le plus difficile à vivre à ce moment, c'est de ne pouvoir dire le fond de ma pensée, même à mes proches... Et si je le dis, il n'y a pas de retour de communication à même de créer un rapprochement entre nous. L'expression de ma douleur équivaut à lancer une balle dans le vide. S'il y a quelqu'un! Il y a un récepteur! Quand l'autre l'attrape, il la relance jusqu'à ce que nous avancions sur un autre bout de chemin, tentant d'établir notre parcours de jeu. Mais quand je parle de la mort de Joleil, personne ne me relance la balle. Elle tombe, et finit par rouler, isolée, perdue.

Comme le point de vue de mon environnement diffère du mien, je n'arrive pas à me joindre aux autres pour communiquer.

Je comprends les différences et les façons multiples de vivre un deuil, mais lorsque je me retrouve devant les gens... Je ne peux ni rester dans l'inertie, ni démontrer de l'agressivité face à l'assassin, encore moins songer à l'assassiner moi-même ! Tuer n'est pas un acte réparateur. Je le comprends, c'est tout ! Oui, je comprends sa situation !

La haine mène aux chemins de la mort où elle contribue à la nourrir, comme dirait mon père, sur la «sempiternelle propension[12]» ! Et où mène-t-elle, cette attitude dévastatrice ? Mieux vaut pouvoir exprimer le ressentiment présent dans notre voyage intérieur. Mais encore... on doit avoir le droit et le courage de montrer sa peine, d'en prendre soin, de la respecter. La plupart des gens ressentent de la colère à vivre leur peine, alors que celle-ci devrait plutôt nous permettre d'entendre son message et de nous recentrer. Pas évident, je sais, mais possible !

Je me suis rendue à la bibliothèque pour me procurer quelques livres sur la mort. En terminant la lecture d'un de ces livres, je me suis exclamée :

— Mon Dieu que c'est beau la mort ! ...

— Es-tu en train de devenir folle ? s'est écrié un ami, tout près de moi, exaspéré.

...

Un jour, un ballon lancé m'est revenu. Quelqu'un m'a proposé de consulter un prêtre spécialisé en thérapie de deuil[13]. Ah ! Ça existe ! Quels sont les tarifs ? Pas d'argent. De plus, j'ai la conviction profonde que je ne devrais pas avoir à payer pour

---

12 Un état d'être négatif qui s'alimente de négatif.
13 La Maison Monbourquette.

ça! Mon enfant m'a été enlevée et aucune assurance ne me la rendrait.

Le ballon attrapé m'a été relancé dans une direction ouverte sur un «Nouveau monde». Enfin, j'apprends l'existence de ce monde!

Durant l'année qui a suivi, j'espère des nouvelles de l'enquête en suivant l'actualité. Plusieurs appels à la population sont lancés pour tenter d'obtenir de l'information aboutissant à des pistes qui mèneront ici et là dans l'affaire. Quelqu'un aurait vu une voiture noire ou grise stationnée dans la rue… Et moi, pourquoi ne l'avais-je pas vue? J'étais juste devant la maison…

…

Une amie m'a demandé de postuler comme animatrice de pastorale scolaire, mais je dois cacher la vérité au sujet de mon divorce et de mon concubinage avec mon conjoint. Ce que je refuse obstinément. Je n'ai rien à cacher à qui que ce soit pour quoi que ce soit.

Un jour, à mon travail, où l'instabilité de ma situation financière m'exaspère, j'ose demander une augmentation de salaire. Sans m'y attendre, je me suis fait répondre:
— Jamais!
J'ai été sur-le-champ convaincue que mon avenir allait se fixer ailleurs. Par contre, en demandant une recommandation, j'ai reçu de ce sage personnage le conseil d'aller poursuivre mes études.

Avec mon amie, j'ai entrepris une formation collégiale en animation pastorale dans le but d'occuper mon temps. Un des professeurs m'a donné les coordonnées de l'Institut de formation humaine intégrale de Montréal[14] sur l'actualisation du « moi », afin de m'aider à développer mes forces vitales et humaines à partir de la rééducation. Des victimes venant de pays en guerre, comme le Congo, étudient dans le but de se reconstruire à la suite de traumatismes importants et de repartir ensuite reconstruire le village d'où ils viennent. Ma guerre, elle, se situe dans les suites d'une enfance, d'une adolescence et d'une vie de jeune adulte difficiles, auxquelles s'ajoute une réorientation complexe de ma brève vie de mère.

Un peu plus tard, j'ai suivi deux années de formation à cet endroit afin de prendre conscience de l'existence des différents aspects de la personnalité et de découvrir d'autres façons de vivre divers évènements de la vie quotidienne.

Entre-temps, avec une étudiante de l'IFHIM, j'entreprends une thérapie sur le deuil d'après le programme de Jean Monbourquette. Faute de moyens pour me payer ce traitement, nous avons recours au troc : pour chaque rencontre, je confectionne un dessert pour elle et sa famille. De son côté, l'heure hebdomadaire qu'elle accorde à mes besoins la soustrait à ses responsabilités familiales. Notre arrangement me rappelle à la symbolique du don, retenant que la valorisation personnelle réelle ne vient qu'à travers les désirs et l'effort fourni pour atteindre ses propres étapes de réalisation.

---

14   IFHIM, Jeannine-Guindon Ph.D., fondatrice et pionnière en psychoéducation au Québec.

Dans une des premières rencontres, je révèle ma situation à la thérapeute :

— Parfois, j'entends un long cri qui ne finit pas.

Elle me demande ce qu'il se passe ensuite.

— Je ne sais pas. Je l'interromps tout le temps.

— Et si tu le laissais continuer, que se passerait-il selon toi ?

— Je ne sais pas. J'essayerai…

Un soir au coucher, je décide de laisser aller ce long cri dans ma tête.

— Aaaaaaaaaaaaaaahhhhhhhhh… !

Il s'est terminé soudain, et j'ai senti mon corps ailleurs, dans un autre espace, en pause, calme, comme dans une autre dimension.

Mon premier questionnement a été :

— Quelle expérience similaire ai-je déjà eue dans ma vie ?

Des instants de difficulté, suivis d'un retour au calme dans une nouvelle aire de vie ? Réflexion faite, une réponse a suivi : ma venue au monde, à terme. J'étais sans doute un peu trop serrée dans le ventre de ma mère et, trouvant cet état difficile à endurer, je me suis retrouvée dans un autre état en naissant. Sûrement un moment difficile, ce passage, comme celui dans lequel je me trouve actuellement. Quelqu'un m'a accueillie, on a pris soin de moi et de mes besoins

Si je peux faire un rapprochement entre les deux expériences, c'est que je dois, cette fois, m'accueillir dans ma peine et prendre soin de moi. Me rassurant ainsi, j'ai trouvé ça curieux, simplet même ! Et je n'ai plus réentendu ce cri.

À la dernière rencontre du processus de thérapie, surprise ! Je dois vivre l'expérience symbolique de mourir comme Joleil.

En me soumettant à cette thérapie, je me suis découvert une grande sensibilité dans cette expérience inconnue de fin de vie !

En foi de quoi j'ai ressenti que son âme avait dû s'éjecter de son corps avant sa mort brutale. Enfin… c'est ce que j'espère !

Pour mon plaisir et mon salut aujourd'hui, j'imagine une partie de l'âme de ma fille Joleil, en plusieurs millions de particules colorées, insérée rayonnante dans tout un chacun, corps et cellules. C'est à ça que me servent mes souvenirs heureux de mère.

Un jour, regardant le ciel bleu, je me suis exclamée spontanément, le cœur joyeux :

— Mon Dieu, Joleil ! T'as donc des beaux yeux !

…

Depuis quelques années, mon conjoint et moi tentions de concevoir un enfant.

En fait, le soir avant de nous coucher, je regarde par la fenêtre et j'en appelle aux étoiles, arborant un sourire qui irradie jusque derrière mes oreilles :

— Eh oh… Petites âmes ! Qui a besoin d'une maman et d'un papa ? Quelqu'un est intéressé ? Ou plusieurs ? Je suis disposée ! Nous sommes là ! Prêts ! Ce soir… je vous souhaite la bienvenue chez vous !

Enfin, une fois, pas longtemps, j'ai été enceinte. L'analyse a révélé un test positif. Nous n'étions que trop heureux ! J'ai même téléphoné à l'école pour inscrire notre petit bourgeon sur la liste d'écoliers dans cinq ans. Je les ai sentis prudents et aussi très contents pour nous.

Perdu. Mort dans mon ventre autour de douze semaines et demie. Il ne s'est probablement pas attaché à la paroi...

En fait, je les perdais tous, un à un, au point de ne plus vouloir les compter. Et pour finir la donne, pas d'enfant, pas de mariage : la séparation, cinq ans après le décès de ma fille.

Autre drame, accompagné d'une dépression celui-là. C'en était trop !

9

ARRESTATION

SEIZE ANNÉES ONT PASSÉ

Il est près de 22 h, je viens de me mettre au lit. Demain, c'est le 23 juin 2011, veille de la fête de la Saint-Jean Baptiste. Le téléphone sonne.

— Bonsoir !

— Madame Donna Senécal ?

— Oui, c'est moi.

— Bonsoir, madame, ici le sergent… de la Police de Laval. Nous sommes en direction de chez vous, nous voulons vous rencontrer. Si vous êtes couchée et en petite tenue, couvrez-vous d'une robe de chambre fermée ou mettez un pyjama. Nous sommes à l'intersection de… Nous serons là dans quelques minutes.

— D'accord !

Je raccroche, silencieuse, puis saute du lit tout en me questionnant sur le but de cette rencontre. Je décide de rester calme. Je m'énerverai s'il y a lieu, pas avant.

J'attends. Pas trop longtemps. Moins de dix minutes plus tard, ça sonne à la porte.

J'entrevois deux silhouettes. J'ouvre. Deux hommes en complet se présentent, ils entrent et je les invite à s'asseoir à la table de la cuisine.

— Comment allez-vous?

— Surprise de votre visite!

— Madame Senécal, nous avons une annonce à vous faire: cet après-midi, nous avons procédé à l'arrestation du présumé assassin de votre fille Joleil. Il est en prison et il passera en cour demain devant le juge. Il ne sortira pas de sitôt, nous avons des preuves très accablantes contre lui.

Silence.

Sans voix, je réécoute en relecture ce que je viens d'entendre. Je secoue un peu la tête, même si je suis encore assise, une partie de moi vient de tomber en bas de la chaise.

— Pardon?... Pouvez-vous répéter? Ce que j'ai entendu, est-ce bien... ce que j'ai entendu?

Il me répète la même chose dans les mêmes mots. Il comprend que j'ai compris, mais... ça semble passer de travers.

— Non! Touchez-moi et dites-moi que ce que je viens d'apprendre est bien ce que je viens d'entendre.

J'avance ma main pour le toucher moi-même. Il est face à moi et je sens bien le contact de mes doigts contre sa main, posée sur la table. Il est en face de moi, ses yeux clairs reflètent une lumière en contraste avec son habit sombre, en contraste aussi avec la situation. Dans la pénombre de la nuit, l'éclairage du luminaire est juste au-dessus de nos têtes.

Difficile de me réjouir. Pour un court instant, je ne suis ni dans l'ombre ni dans la lumière. Le temps vient encore de s'arrêter.

Black-out !

— Ça fait combien d'années que Joleil est décédée ? Non… ce n'est pas vrai ! Seize ans ?

Ils me fixent, attendent ma réaction. Je prends peur. Je commence à entendre mes battements cardiaques qui accélèrent.

Le sergent de police vient de m'annoncer ce que j'ai toujours souhaité entendre depuis la disparition de ma fille jusqu'à l'enquête qui, d'après moi, était depuis fort longtemps passée à l'oubli. Consignée, codée, numérisée, l'enquête attendait un indice qui pourrait mener à sa réouverture.

Puis, un des sergents détectives m'annonce que le père de Joleil et mon ex-conjoint ont déjà été mis au courant. La nouvelle sortira demain dans les journaux et à la télévision.

— Comment s'appelle-t-il ?
— Éric Daudelin. Il passe en cour demain pour entendre les chefs d'accusation qui pèsent contre lui.
— Qui est-il ? Que fait-il dans la vie ?
— Un récidiviste notoire. Il fait peu de choses, me répond-il avec un air contraint.
Là, j'entends une série d'informations, mais je ne retiens que certains mots : viol, femme, prison, un nombre d'années…

— Quels sont les chefs d'accusation ?

J'entends encore une série de mots, mais je n'écoute pas. Le ton semble juste, le jargon ne m'est pas familier. Je sens une sorte de fierté dans leurs affirmations, une sorte de certitude qui semble être partagée par plusieurs dans l'ensemble de la fraternité concernée. Une affaire de crime majeur semble résolue à Laval. Tous les enjeux n'en sont pas pour autant écartés et l'on peut s'attendre à tout en matière de justice au Québec. Avant de fermer le dossier, les enquêteurs retiendront leur souffle jusqu'à trente jours après la fin du procès pour connaître la décision d'en appeler du verdict et de la sentence s'il y a lieu.

Je suis stupéfaite.
Je ne m'attendais pas à ça !
Qu'arrivera-t-il ?

Ahhhhh ! Nonnnnnn !... Ça recommence !

On me dit que ça va sûrement me faire revivre mon deuil et, qu'après, ce sera terminé.

Je me questionne : mais quand tout ça va-t-il réellement se terminer ? À ce que je sache, les familles des victimes sont informées des besoins et du parcours des prisonniers. En seize ans, j'ai gardé sous silence longtemps mon statut de mère déchue et voilà que ce dossier s'ouvre à nouveau et, si je comprends bien, ça ne se fera pas dans la discrétion !

— Je travaille demain ! Je suis éducatrice dans une garderie avec de jeunes enfants ! Les parents ne sont pas au courant. Comment ça va se passer ?... Je peux téléphoner à ma directrice ?

– Allez-y !

Je cherche le numéro dans mon agenda, je tremble un peu, je suis émue et nerveuse, je tente de garder mon calme…

Il est près de 23 h 15. Je compose. Ça sonne.

– Denise ! Je te dérange ? C'est Donna.
– Je suis occupée sur l'autre ligne ; qu'y a-t-il ?
– J'ai quelque chose d'important à te dire… Tu es bien assise ?
– Oui, oui !
– Des policiers sont chez moi et ils viennent de m'annoncer qu'ils ont arrêté le présumé assassin de ma fille. Il est en prison et il passe en cour demain.
– Que me racontes-tu ? Attends ! Je raccroche sur l'autre ligne.

Je l'entends informer l'autre personne qu'elle va rappeler et elle me revient.

– Oui, je t'écoute.

Je recommence.

– Je regrette de te dire ça, Denise, mais des policiers sont ici, chez moi, ils sont venus m'informer qu'ils ont arrêté le « présumé assassin » de ma fille cet après-midi et qu'il passera en cour demain. Moi, demain, je suis censée travailler. Es-tu prête à vivre ça avec moi ?

— Tu ne me niaises pas là !

— Je te le dis même si ça semble fou, mais tout est vrai. Veux-tu parler aux policiers ? Ils sont assis juste en face de moi. Ça va passer aux nouvelles demain matin. Te sens-tu à l'aise d'accueillir les parents là-dedans si ça devient nécessaire ?

— Oui, oui…

— Parfait, je serai à la garderie à 7 h 30 demain. Encore une fois, je suis désolée… Merci Denise. Bonne nuit !

Les policiers me demandent s'il y a quelqu'un d'autre que je peux appeler, car, selon eux, il serait préférable que je ne passe pas la nuit seule.

— Non, non, ça va aller.

— Êtes-vous certaine ?

— Oui. Je vais me coucher après votre départ, je me lève à six heures demain. Je travaille. Ne vous inquiétez pas.

— Vous êtes bien certaine ! On voudrait s'assurer que tout se passe bien pour vous.

— Il n'y a pas de quoi vous inquiéter pour demain. C'est après que ça se compliquera. Je me demande bien ce qui va se passer avec mon travail ! Je suis renversée rien que d'y penser. Une chose à la fois. Pour l'instant, ça va aller.

Après avoir félicité les policiers, sans être capable d'ajouter autre chose, je vais les reconduire à l'extérieur.

Avant de rentrer, je vais voir ma voisine, les lumières de sa cuisine sont encore allumées. Il est près de minuit.

Je cogne à sa porte et je l'informe de la nouvelle. Elle me demande si tout va bien de mon côté et me remercie de l'avoir mise au courant. J'habite un quartier paisible, alors...

Je retourne chez moi. Je m'assois quelques instants. Je n'en reviens tout simplement pas. J'appelle un ami. Je partage avec lui les derniers déroulements de l'histoire. Quelle nouvelle ! Il est bien content pour moi. Pas moi.

Non, mais ! Que va-t-il se passer maintenant ? Avant de me quitter, les policiers m'ont laissé une liste de noms et de numéros de téléphone dans le cas où j'aurais besoin d'une aide quelconque. Je n'ai pas à m'inquiéter semble-t-il, un réseau d'urgence est mis à ma disposition. Avec toutes ces coordonnées, je devrais me sentir en sécurité.

Je m'endors en espérant avoir fait un mauvais rêve, même si je sais fort bien que j'en suis à un autre point de ma vie, un autre point de non-retour.

Eh oui, c'est vrai ! C'est bien la réalité qui me frappe au réveil. Je prends quelques minutes pour retrouver mes esprits et je me lève du lit pour allumer la télévision et écouter les nouvelles de six heures. Dans le fond de mon cœur, je suis contente, il se passe enfin quelque chose que je n'espérais même pas. Mais, en même temps… quel chamboulement et quelles tempêtes je vois venir à l'horizon !

J'entends l'animatrice des nouvelles dire :
– … la petite Joleil Campeau… Elle devait traverser un marécage pour aller rencontrer sa meilleure amie.

Je suis dans la cuisine, je ne crois pas ce que je viens d'entendre ! Je saute en l'air, je tourne en rond, la rage me monte au nez.

– *Mais ! Elle s'entend parler cette dame ! Comment peut-elle dire des choses semblables ? Non ! Elle ne peut être consciente de ce qu'elle vient de dire !*

Je me calme un peu, je respire à fond, puis ma colère repart de plus belle en regardant les images du terrain à côté de la maison, là où les évènements se sont déroulés seize ans plus tôt. Ça ne ressemblait plus au paysage d'avant, la clairière était devenue une forêt. Je suis dans tous mes états. *Non, mais que vont penser les gens ? Quelle sorte d'endroit cette famille habite-t-elle pour qu'une mère laisse son enfant traverser un marécage pour aller rejoindre ses amis ?* Oh ! … Quelle histoire ! Comment me contenir ! Je suis furieuse !

– Elle me cherche ! … C'est ça ! Elle veut que je l'appelle ! Non, non !

Je communique avec le sergent détective au téléphone pour lui dire ce qui se passe. Je lui demande s'il est possible de demander à la station de télévision de cesser de faire circuler de fausses informations, ça fait trop mal d'entendre ça !

Il me conseille gentiment de fermer la télévision.

— Je vais faire ce que je peux, madame, et je vous rappelle dans quelques minutes.

Je me suis calmée. Puis je joins un membre de ma famille en lui demandant de faire la chaîne pour informer les autres.

Le non-sens recommence !

Aux policiers, je dois confirmer ma présence en cour pour la comparution de l'accusé. Il est 9 h, je suis à la garderie et je n'ai encore rien décidé.

Le début de matinée est frénétique. J'ai hâte de voir arriver les filles au travail, car j'ai besoin de partager avec elles ce qui m'arrive. Chaque fois, c'est la consternation.

L'enquêteur me téléphone et prend de mes nouvelles. Il veut savoir si je désire me rendre au Palais de justice pour 11 h. Je réponds, hésitante :

— Je veux y aller, mais en même temps, je ne veux pas.

Il m'a répondu :

— Vous voulez y aller, mais vous ne voulez pas être vue.

— C'est cela !

— Nous allons nous organiser.

Afin d'éviter les caméras, je suis escortée par des policiers jusqu'au bureau de la CAVAC[15] du Palais de justice. On me présente à différentes personnes et l'on m'explique le mandat de l'organisme. J'écoute à peine. Je n'ai pas l'esprit assez vide pour me rappeler toutes les informations qui me sont transmises.

---

15   Centre d'aide aux victimes d'actes criminels.

J'appelle ma sœur pour lui signaler mon arrivée. Elle vient me rejoindre à l'intérieur. Les journalistes et plusieurs membres des deux familles de Joleil occupent l'entrée à l'extérieur et dans les corridors.

Quelques minutes plus tard, on me présente les deux procureurs de la Couronne et les autres personnes impliquées dans l'enquête.

Une surprise m'attend quelques instants avant d'entrer dans la salle d'audience. Mon ex-conjoint arrive en pleurs et se jette dans mes bras. Il me serre très fort, complètement effondré, son corps en secousses. Je suis étonnée devant une telle réaction de sa part.

Le consoler ou simplement l'accueillir? J'ai le réflexe d'exprimer ma joie d'être dans ses bras après tout ce temps! *Je voulais faire ça court.*

— Oh! Que ça fait longtemps que j'ai vécu ça!

Plusieurs policiers observant la scène, en même temps, n'ont pu se retenir d'éprouver une émotion audible devant cette démonstration.

— Hmmmm!

Une fois rendue dans la salle d'audience, on m'a dirigée vers les sièges en arrière. Je suis accompagnée d'une dame de la CAVAC et d'une policière. Mon regard se porte sur ce qui se déroule en avant. Ça se passe assez vite. Un homme pas trop grand se présente dans la boîte des accusés, ce n'est certainement pas lui. Puis vient un autre, j'ignore qui il est. Lorsque j'entends une date qui correspond à celle que m'a mentionnée l'enquêteur, je me dis que c'est peut-être lui, sinon il a la même date à son agenda pour se présenter à la cour.

Je le regarde de plus près, au cas… Un type grand, costaud, blond-roux, pas trop intéressé par ce qui se passe dans la salle. Son regard porte davantage sur ce qui se passe en avant chez le juge et les avocats.

— Si c'est lui qui a tué ma fille, il est dans de sales draps et depuis fort longtemps! Il l'a sûrement eue dure, la vie …

À sa sortie de la salle, quelqu'un près de moi s'est écrié:
– ÉCOEURANT!

C'est à ce moment que je réalise la possibilité ultime que ce soit le bon individu.

Réagissant aussitôt à cet élan émotif, je suis choquée de ce comportement provenant d'un semblant d'outrage ou d'une mauvaise mise en scène tout près de moi, je suis offusquée! On nous avait avisé d'adopter un comportement irrépréhensible…

Même si je sais de quelle pulsion provient ce geste et que je la comprends fort bien, qui sait ce que représente le crime de cet homme dans un monde où les règles sont à l'inverse des nôtres, simples citoyens. S'y mériterait-il des félicitations? Une mention d'honneur dans son curriculum vitae?

On nous dirige ensuite vers le bureau de la CAVAC. On me le confirme, c'est bien lui. Une date de plaidoyer de comparution est prévue à la mi-septembre; on préfère laisser passer les vacances d'été. Les membres de ma famille sont là, ainsi que les enquêteurs et les procureurs de la Couronne. Nous sommes informés des formalités d'usage et nous posons toutes les questions qui nous viennent à l'esprit.

Par la suite, à mon grand étonnement, mon ex-conjoint demande la parole pour s'exprimer devant toutes les personnes réunies. Je le sens ému.

— Je suis content de vous voir ici puisque j'ai un message à vous livrer. J'en profite aussi pour vous saluer tous ! Quand les évènements sont arrivés à l'époque, certaines personnes près de nous ont pensé que Donna avait quelque chose à voir avec la mort de Joleil. Bien, je tiens à vous le dire personnellement, je n'ai jamais partagé une telle idée. Au contraire, j'ai toujours pensé et je le pense encore aujourd'hui : j'ai été heureux de constater comment Donna a été une bonne mère pour Joleil et je tenais à te le dire personnellement, Donna, afin que cela soit bien clair pour tout le monde. Voilà, je tenais à clarifier certains faits. Je suis content que l'on ait arrêté Daudelin et j'espère que pour la suite, tout va bien se passer.

Quand il a quitté la pièce, il m'a à peine saluée. J'ai senti à ce moment que c'était possiblement la dernière fois qu'il s'intéressait de près à notre histoire.

Finalement, nous quittons les lieux pour un dîner en famille dans un restaurant.

Le matin, ma petite sœur avait rêvé à Joleil : elle l'avait vue en train de danser. Et elle lui aurait dit : « Tu es contente là, ma petite coquine ! » J'étais bien contente pour ma sœur, mais d'un autre côté, j'étais un peu jalouse de cette rencontre surnaturelle avec Joleil.

Je m'offre d'aller reconduire ma mère chez elle. Je dois passer par la garderie pour récupérer ma veste, le temps est encore frais en ce début d'été. Je lui fais faire une courte visite à l'intérieur, lui présente mes collègues. Les enfants sont couchés pour la sieste et c'est assez sombre ; les toiles aux fenêtres sont baissées. On ne voit pas très bien l'aménagement et les bricolages qui décorent la pièce. Je suis déçue.

Demain vendredi, c'est jour férié. Le week-end servira à faire retomber la poussière et à reprendre un peu mes esprits pour la suite des évènements.

J'ai deux frères et trois sœurs, quelques-uns se sont exprimés devant les journalistes. Dans l'ensemble, je suis satisfaite. J'ai regardé à la télévision l'annonce du début du déroulement de la fin d'une saga qui durait depuis plus d'une décennie. Personnellement, je suis trop bouleversée pour me retrouver dans cet environnement à commenter quoi que ce soit.

…

Après la comparution de l'accusé à la cour, une intervenante de la CAVAC me fait une offre de quelques rencontres de réflexion à chaud, question de me situer quant aux derniers évènements depuis l'arrestation de monsieur Daudelin. Je le nomme monsieur par respect, bonne foi de chrétienne ! Car, dans mon esprit, cette personne est malade, anormalement malade même ! Et si c'est le cas, je m'abstiens de brutaliser toute personne en nécessité d'aide, qu'il en soit conscient ou non ou qu'il le veuille ou non ! On ne frappe pas quelqu'un qui fait de la fièvre, alors… Il est bien plus mal en point que moi ! C'est lui qui a besoin de soins.

Mes attentes et limites vont en ce sens : qu'arrivera-t-il à cet homme-là ? Je veux aussi aviser les détenus du Canada et de l'Amérique du Nord. Ne lui faites aucun mal ! Qu'il fasse son temps ! Qu'il se répare s'il le peut et qu'il répare sa vie. Ce sont les recommandations que je lui fais maintenant ou quand je le rencontrerai, si j'ai à le faire un jour.

En attendant, l'enquêteur m'a dit que je pouvais lui laisser un message sur un bout de papier et qu'il s'arrangerait pour le lui faire remettre. Je n'en fis rien.

À mon premier rendez-vous avec l'intervenante de la CAVAC, dès le début de la rencontre, sa réaction à mon discours sur mes attentes envers le présumé assassin de ma fille est de m'arrêter subitement. Je l'entends me dire en me mettant une main sur le genou :

— Madame Senécal! Ce n'est pas Éric Daudelin que j'ai devant moi. C'est vous, Donna Senécal. Si monsieur Daudelin a besoin d'aide, quelqu'un est chargé de lui, là où il se trouve. Ici, maintenant, je suis là pour vous. C'est mon travail!

Ça me fait bizarre d'entendre ça… Je réalise soudain qu'elle a raison et que je tente d'intercéder dans ce qui ne me concerne pas. Je me sens soudainement prise dans mon propre filet, mais je retiens ce qui suit :

— Là où il se trouve, quelqu'un est chargé de ses besoins.

Saisie de cette remarque face à mon attitude, je prends conscience du fait que je suis encore à m'occuper des autres au lieu de m'occuper de moi. *Attention! Oh! Là! La petite dame! Ça va, Donna? Oui, oui…*

Qui s'occupe de moi? Je suis ici pour ça! Personne ne peut s'imaginer de quelle souffrance je suis affligée, ni dans quel cirque émotionnel je me retrouve. Ce n'est pas drôle… Je ne le sais même pas encore moi-même, tellement c'est la virevolte.

Non, ça ne va pas… Je ne sais même pas comment je me porte, mais je ne vais pas tarder à le savoir.

Et si je m'arrêtais pour y penser ? Hmm… J'ai peur. Oui, mais peur de quoi ? De l'inconnu, de ce que je vais être obligée de vivre… Je crains l'impact de ma pensée sur la situation et sur mon environnement…

Une autre transition en vue…

Et encore ?

Je m'explique les choses d'une façon tellement différente que je crains davantage et encore plus la marginalité. Peu de gens ont partagé ma pensée à l'époque et j'ai besoin des autres !

Au cours de ces années, j'ai réussi à me stabiliser grâce à mon travail en garderie. J'ai voulu être reconnue comme éducatrice avant d'être vue comme la maman d'une enfant assassinée. J'ai d'abord dirigé mon choix vers le travail d'éducatrice remplaçante dans les services de garde pour les enfants de zéro à cinq ans. Ensuite, auprès de la clientèle étudiante, j'ai été dans les écoles à titre d'agente de pastorale pour les six à douze ans. J'avais finalement été acceptée avec mon conjoint de fait et aussi à cause de l'abolition à venir de ces postes dans les écoles. J'ai également été chargée de cours d'art culinaire dans une école privée et chargée de projet pour l'éducation à la foi chrétienne pour les parents et enfants d'une paroisse. Finalement, après tant d'années, je me donne un peu le droit d'aborder ma situation familiale, tout comme les autres mamans de mon entourage. J'annule ma discrétion, me sentant parfois, fautive d'avoir eu à cacher l'identité de mon enfant pendant si longtemps.

…

À la suite de l'arrestation de Daudelin, j'ose avec peine effleurer l'idée de parler. Je ne tiens ni à me faire voir, ni à me faire entendre! Non pas que ma pensée soit embrouillée, mais j'ai juste du mal à l'exprimer avec confiance, par manque d'appui. J'ai si peu souvent reçu une réponse face à l'élan d'espérance qui m'a toujours habitée dans mon deuil. Comment arriver à me faire confiance, à avancer avec le regard d'autrui porté sur ma façon de vivre en ce qui concerne la perte de mon unique enfant? Je ne veux ni me taire ni en parler.

Je continue à vivre dans l'incertitude et l'attente. Les hormones jouent leur jeu, augmentant stress, fatigue, émotions multiples et incompréhensibles. Je suis sous haute tension, sans suivi médical, sans aide. Je ne vais pas assez mal pour consulter ni pour cesser mon travail. De fait, je fais ce que j'aime le plus au monde!

J'ai vent que l'on croit que je me cache, alors que je n'ai jamais hésité à m'exprimer à qui voulait bien m'entendre. Je suis seulement désemparée de croire que, lors d'une sortie publique, mon témoignage n'ait pas suffisamment de poids, car je redoute surtout l'incompréhension.

Parfois dans une inertie de pensées, parfois, dis-je, dans une spirale tourbillonnante d'agitation et d'hyper-vigilance, je me sens en démesure, constamment à me repositionner. L'interve-nante de la CAVAC me demande :

— Avez-vous pensé à la dépression, à aller consulter votre docteur, madame Senécal ?

— Ah non !... Pas encore !... Ça se peut ?

En plus, je stresse à cause des pertes de mémoire au travail, causées par la fatigue et l'insomnie. Mes règles sont irrégulières et le combat contre l'anxiété me prend toutes mes énergies. Je n'arrive pas à identifier ce que je vis, ne pouvant en situer la cause. Les hormones ? J'ai passé le cap de la cinquantaine ! Le procès à venir ? Ou les deux ?... Ou le travail ?... Que vais-je devenir ?

Je reprends les antidépresseurs après huit ans de rémission.

Après sept ou huit rencontres avec l'intervenante, on m'in-forme que ce n'est pas l'endroit pour suivre une thérapie. Cela dit, j'avoue avoir reçu un accompagnement professionnel comme le veut le mandat de l'organisme.

Aussi ai-je profité de ma période de vacances pour entre-prendre la prise de la nouvelle médication, puisque je prévois une déstabilisation temporaire de mon organisme. Je veux également, surtout, éviter un certain dérangement au travail. Sans savoir ce qu'on veut dire au juste, la direction m'a déjà accolé l'étiquette de « DIFFÉRENTE », de par ma personnalité joyeuse, sensible, créative, toujours à douter de moi-même.

J'insère donc dans mes deux semaines de vacances un court séjour dans les Laurentides pour une retraite de silence avec séances de yoga.

L'endroit est paradisiaque. C'est la tombée du jour. Un couple de cygnes nous accueille à l'entrée, laissant derrière eux sur la surface du lac en miroir, de courtes vagues ondulées aux chatoiements argentés qui s'étendent, incandescentes et lumineuses, sur les reflets de douces éclosions d'étoiles scintillantes.

Des chaises et des balançoires sont installées ici et là, appelant discrètement à la méditation. Au pied du grand chalet, ceinturé d'ombrages et de frondaisons nouvelles, un parcours en escalade mène en haut d'une falaise offrant, sous un ciel bleu clair, une vue pleine et débordante sur les montagnes aux cimes vert-noir. Au-delà de cette forêt aux multiples tons de vert, mon regard balaye l'horizon, d'un point à l'autre, à se perdre dans son immensité… Longs instants silencieux… soutenus par le souffle persistant de l'extase. Wow!

Pour le souper, nous sommes deux femmes seules, une mère avec sa grande fille et un groupe d'une vingtaine de personnes venues pour un atelier de chi-gong[16].

Depuis l'arrivée de ce groupe, tous ignorent la consigne du silence, même s'ils connaissent l'endroit pour y avoir déjà séjourné. Ce beau monde jase à ses retrouvailles. Surprise de voir ces grands plaisirs se dévoiler sous mes yeux et à mes oreilles, j'ai du mal à ne pas laisser voir ma déception, moi qui espérais me retrouver dans le calme complet tel qu'indiqué dans la publicité. Entre deux cuillérées de potage, j'en glisse un mot à la dame seule qui hoche la tête, acquiesçant à mon commentaire, tandis que l'autre dame s'indigne:

— Ah non! Je suis venue avec ma fille, ce n'est pas pour garder le silence. C'est justement pour qu'on se parle!

---

16 Wikipédia: Gymnastique traditionnelle chinoise qui consiste en une maîtrise de l'énergie vitale.

En peu de temps, l'information a fait le tour des tables. Graduellement, tout le monde a volontairement baissé le volume, surpris d'avoir à retenir leur allégresse. Ils iront vérifier les faits auprès du guide et de la direction de l'établissement.

Même si la dame seule a appuyé d'un regard, mon commentaire, je sens un léger malaise. Solidaires, nous continuons notre quête en silence. Je suis ici pour retrouver le calme. J'ai attendu ce temps pour vivre en toute quiétude les effets secondaires de ma nouvelle médication sans avoir à me préoccuper de mon environnement et pour être à l'écoute du meilleur en moi. Je décompresse et je me régale des espaces reposants, des repas santé, des lectures et des séances de yoga. C'est sublime…

Outre ces périodes de repos, plusieurs résistent à la consigne du silence. Ils chuchotent par respect. Enfin, je profite des bruits de Dame Nature pour m'en faire un accompagnement et porter attention à ma respiration en m'isolant davantage. Le travail en garderie comporte tant de situations intenses. Ce temps d'arrêt ne m'est que bénéfique !

À la fin de mon séjour, la clé de la porte de ma chambre doit être laissée à l'accueil, sauf qu'à ce moment, personne ne s'y trouve et la porte est fermée à clé… Je fais le tour de l'entrée, puis je décide d'aborder deux dames pour leur demander si elles ont une idée de ce qu'il faut faire dans ce cas :

— Pardon, mesdames, je brise le mur du silence.

— Ah !… s'exclament-elles toutes excitées, interrompant leur conversation.

J'explique la situation et l'on m'indique la chose à faire. Puis avant de les remercier et de partir, j'ajoute:

— Excusez-moi, mesdames, vous me permettez une explication? Si j'ai eu besoin de garder le silence ces derniers jours, c'est que j'ai eu à réfléchir à quelque chose de très important dans ma vie.

Et je répète en appuyant sur le «très important».

— Ah oui? Vous n'êtes pas malade, j'espère?

— Non non non!...

J'hésite un peu. Puis, je rajoute:

— Non! Ce n'est que ...j'ai gagné cinq millions de dollars et je suis venue pour réfléchir à ce que je vais faire avec tout cet argent!

— Non!!! ... Ce n'est pas vrai!! Êtes-vous sérieuse? C'est vrai? Vous avez gagné cinq millions! ... Est-ce vrai?

Je les laisse languir un peu; puis, contente de mon coup, je rajoute:

— Mais non, ce n'est pas vrai!

— Ce n'est pas vrai?

— Non non! C'est une blague que je vous fais... Je n'ai pas gagné cinq millions, mais... c'est tout comme!

Puis je repars, les remerciant avec sourire et clin d'œil. Je les entends s'amuser derrière moi:

— Ha! Vous là!... Vous là! Elle est bien bonne!

Même si l'adaptation à ce grand virage de ma vie se veut complexe, je suis certaine que de grands changements ne peuvent qu'apporter de grandes révélations sur l'essentiel de la vie... Reste à les découvrir et à les vivre maintenant!

...

Passent les semaines…

À la garderie, c'est la rentrée et la formation de nouveaux groupes.

De leur côté, Éric Daudelin et son avocat utilisent les stratégies du système. Celui-ci demande l'obtention des services d'un avocat de l'aide juridique, ayant plaidé non-coupable aux trois chefs d'accusation suivants :
- Retenir une mineure en utilisant la force
- Agression sexuelle
- Meurtre au premier degré

Les rendez-vous à la cour traînent en longueur et sont reportés. Faute de moyens financiers, l'accusé ne peut se payer un avocat. Résultat ? Une année de plus derrière les barreaux aux frais des contribuables. Sans aucun salaire durant cette période, il pourra ainsi recevoir les services d'un avocat de l'aide juridique pour se défendre.

Qu'on se le dise, le Québec, c'est le petit Jésus. Je te pardonne sept fois soixante-dix-sept fois, et ne recommence plus. Allez ouste ! Dehors ! Dans mon esprit, on en a pour des siècles et des siècles à essayer de faire mieux. Mais disons-le : au Québec, on rend ça facile de faire le pire !

Pardonnez-moi de ne pas essayer de tout comprendre, mais j'ai le cœur qui déborde d'amertume ! Qui s'occupe de mes besoins que je suis encore seule à gérer ? Je suis laissée à moi-même… J'ai tellement besoin d'être bercée, longtemps, souvent !

…

Un matin de mal à l'âme… Je vis ma peine. Une peine immense me traîne aux pieds comme un boulet. Le système carcéral et judiciaire m'apparaît d'une telle absurdité ! C'est d'une aberration inconcevable ! Quand je pense que ma fille en est une des victimes… Cette peine alourdit tous les instants de ma journée et, pour une fois, je me permets d'exprimer ce qui est enfoui à l'intérieur de moi depuis tant d'années.

J'ai appris dans une entrevue télévisée, captée sur internet, que dans les années 90, plusieurs permissions de sorties étaient plus que possibles pour les détenus du Québec au potentiel dangereux ou non. À peine croyable et assurément inconcevable !

Comment ne pas se sentir désespérée en apprenant cela !

À l'époque, les agents de la Commission des libérations conditionnelles avaient pour mandat, et sous menace d'ailleurs, de libérer le plus de détenus possible des prisons, faute de places. Cette réforme devait répondre à un déficit budgétaire, le Québec étant au bord de la récession. Ceux qui acceptaient de se voiler les yeux en appliquant cette politique voyaient leur contrat de travail renouvelé de cinq ans. Ce n'est qu'en 2014 que j'ai compris le sens de cette enquête, menée par Yves Thériault[17], pour donner suite à la lecture d'une étude de cas d'un jeune enfant assassiné par Mario Bastien, un autre agresseur sexuel récidiviste notoire, avec forte ascendance meurtrière. Une preuve évidente que le bien commun passe après l'argent. C'est-à-dire que dans un tel système, la dignité de la vie humaine n'a pas le même sens pour tous. Combien de femmes et d'enfants, entre autres, sont passés entre les mains de ces types infâmes ayant échappé à la guillotine d'un système carcéral aux portes grandes ouvertes ?

---

17 *Tout le monde dehors !* Enquête sur les libérations conditionnelles, Yves Thériault, 2005, éditions Libre Expression.

Comment font ces gens la nuit pour bien dormir?

C'en est assez pour que je parle à mes collègues de ma peine devant une telle aberration. Une fois, deux fois, pas de retour de balle. Le lendemain, à la pause encore, j'en reparle à une autre collègue. Elle me regarde, ne sait que dire, tandis que je déclare pour une troisième fois en deux jours:

– J'ai tellement une grosse peine! Si tu savais comment c'est... lourd à porter!

Et je me réentends: «J'ai tellement une grosse peine! ...» C'est alors que je sens ma peine comme en fusion et j'en ai assez! Vite, je réalise que je vais devoir m'en occuper, comme Joleil l'a fait, sous les conseils de Jacques Salomé, avec sa gêne de parler devant la classe. Je n'ai plus qu'à prendre mes responsabilités. Ma peine m'appartient, je dois la symboliser et en prendre soin!

Tout de suite, mon attitude a changé! Ma respiration s'est allongée, puis j'ai regardé ma collègue autrement.

– C'est correct! Oublie ça, c'est réglé, je vais m'en occuper.

Silencieuse encore, elle me jette un coup d'œil et ne saisit aucunement ce qui se passe. Moi, convaincue d'avoir changé de registre, je sens déjà mes énergies se renouveler.

– Ce soir, à la maison, je m'occuperai de ma peine. Je me trouverai un objet qui représentera l'aberration du système et j'en prendrai soin.

À partir de ce moment, dans un nouvel entrain, je suis repartie et, le cœur allégé, j'ai repris mon travail.

Rendue à la maison et en quelques minutes de réflexion, je choisis un objet que je peux garder en tout temps à portée de la main. Puis, comme dans la parabole de la paille et de la poutre[18] dans l'Évangile, je n'accuse personne sans me questionner

---

18   Évangile de Luc 6,41.

moi-même. Et moi ? Est-ce que je vis de l'aberration dans quelques-uns de mes systèmes ? Je prends alors un deuxième objet pour symboliser mes propres aberrations. Je suis humaine et imparfaite ! Ainsi, je suis en position de créer une distance entre moi et ma peine et les systèmes que je considère comme aberrants et qui me blessent et me font souffrir à ne plus être capable d'avancer.

Ma peine a diminué en intensité. Je me suis mise à respirer librement, à plein, reprenant mon pouvoir sur moi et sur mon environnement.

Quelques semaines plus tard, une dame s'approche de moi en pleurs.

— Écoute, je te fais confiance pour les leçons de vie. J'ai besoin d'un conseil…

Je me méfie un peu, car les conseils n'appartiennent qu'à ceux qui les pratiquent, ou aux conseillers experts.

Comme c'est le cas dans une croissance autonome, trouver sa recette magique demande des explications et un temps d'intégration, comprenant une compréhension et surtout une validation de cette compréhension dans une expérience…

— Je ne sais pas si je peux te donner un conseil, mais mon avis par ma propre expérience, oui, si tu le désires ! Que se passe-t-il ?

— Mon chum vient de me laisser… me dit-elle dans un souffle, laissant tout tomber du haut de son corps comme le poids d'une masse.

— Hm… Ça, c'est triste !… Je suis désolée pour vous…

Elle me regarde comme si elle n'avait pas bien entendu.

— Mais oui, ça ne doit pas être facile pour lui non plus.

Elle pleurait.

— Oui, quoi d'autre ?... Je veux dire, qu'est-ce que ça te fait ?
Je lui donne un mouchoir.

Pause.

— Dis-moi comment tu te sens avec des mot.
Elle hésite, j'insiste du regard.
— Bien, j'ai de la peine ! me lance-t-elle irritée.
— D'accord !... Tu peux me montrer ta peine avec un objet ?
— Qu'est-ce que tu veux dire ?
— Moi, si je te dis que j'ai une voiture, je peux te la montrer.
Si tu me dis que tu as de la peine, tu peux me la montrer !

Elle ne semble pas comprendre.

— Je sais que ce que je vais te dire va te paraître bizarre, je
m'y attends. Si tu veux, je peux tenter ma chance et t'expliquer.
Elle reste là, immobile, à attendre.

Je prends un mouchoir dans une boîte tout près. Je le dépose
sur le comptoir.
— On va dire que c'est ta peine. D'accord ? Ne t'en fais pas,
c'est un exemple.
Elle me regarde, curieuse pour la suite. Puis, je répète :
— Es-tu d'accord ? Disons qu'on représente ta peine par ce
mouchoir.
À contrecœur, elle accepte le jeu et acquiesce, incrédule.

— ... Oui.

– Si ce mouchoir sur le comptoir représente ta peine, tu vois qu'elle n'est plus à l'intérieur de toi! Le mouchoir, c'est ta peine et toi, c'est toi. Tu n'es donc pas une peine.

Je lui laisse un peu de temps de réflexion, puis j'ajoute en pointant le mouchoir du doigt:

– Dis-moi maintenant, que ferais-tu avec ta peine si tu avais à t'en occuper?

Elle regarde fixement le mouchoir. Je sais que cette question mérite des explications.

– Que ferais-tu si tu avais à t'occuper de cette peine?

Elle s'en empare rapidement, le chiffonne de ses deux mains et le jette dans la poubelle comme un vieux déchet. C'est juste si elle ne voulait pas la piétiner.

– Voilà! C'est justement ce qui fait que ta peine n'en a pas fini de sitôt avec toi. Et voilà aussi ce que font la majorité des gens, et ce qu'il ne faut pas faire.

Et là, je m'élance d'un trait:

– Le travail de la peine est de te gâcher l'existence, ta journée, cet instant, n'est-ce pas? C'est une énergie négative qui se nourrit d'énergie négative. Celle-ci s'agrandit en énergies qui finalement dramatisent une bonne partie de ta vie en plus de se répandre dans ton environnement. Si, au contraire, tu l'accueilles, et que tu en prends soin, tu serais surprise de constater tout le pouvoir que tu lui enlèves, cessant alors de te causer davantage d'ennuis. Elle pourra alors mourir de sa belle mort quand viendra son temps, après avoir compris le sens de sa visite dans ces instants de ta vie.

L'attention de la dame est encore là. Je poursuis donc :

— Si tu accueilles ta peine, comme de la visite qui sonne à ta porte, lui ouvriras-tu en l'accueillant d'un solide coup de poing et en lui signifiant de ne plus revenir ? Ou cela pourrait pour elle et toi être une occasion de découvrir ce qui se cache derrière cette rencontre en acceptant de la recevoir convenablement ! Que pourrait-elle t'apprendre, te permettre de clarifier quant à ton histoire personnelle ? Si la peine survient, c'est un signe à ton corps qu'il existe quelque chose à réparer dans ton corps, dans ton cœur et dans ton esprit, que tu dois commencer par voir les choses autrement. Cette peine a un message à te livrer. C'est une chance ! La peine cache une force vive qui nuit à ton existence. Si tu reconnais la force de cette peine qui menace, à long terme d'enfermer tes énergies, il y a de fortes chances, selon mon expérience, que tu puisses y découvrir un trésor d'amour sous-jacent. L'amour est écrasé sous le poids d'une blessure qui te fait souffrir. Cette souffrance réactivée t'emprisonne à nouveau dans son intrication pour empêcher ton être de s'exprimer de plus belle à la vie nouvelle !

Pour en arriver à ce partage, je prends le risque de livrer ce que j'en suis rendue à comprendre de mon expérience.

— …

— Alors, quelle histoire antérieure n'est pas achevée ? Quelles blessures associées à ce type de bouleversement sont réactivées ? Comme si tu t'abandonnais à cet autre quelque chose comme à un manque d'hygiène envers toi-même. Tu dois faire le ménage de tes perceptions pour aboutir à ta souffrance et lui signaler ton accord face à sa présence, ta reconnaissance. Que le chum t'ait laissée fait en sorte que tu te vois au centre d'un triangle d'abandon qui évoque probablement un évènement dans ton passé, et c'est cette peine qui revient te visiter et ébranler ton équilibre. Ça peut être une histoire inachevée, un modèle qui te resitue dans ce nouvel ordre de chagrin qui t'est déjà familier...

Elle me répond que oui, c'est possible. Hésite, puis... Peut-être, puis tout à coup... je la laisse s'exprimer sur une histoire avec son père et sa mère.

– Bien... Déjà, de regarder cette peine en dehors de soi et d'être témoin de toute l'agitation qu'elle crée en un seul pas de recul est déjà une victoire en soi. L'observer et en prendre conscience dans un autre discernement, voilà un champ de conscience ouvert à une certaine actualisation de ton plein pouvoir de lucidité. Le temps passera et ta responsabilité envers toi-même, souhaitons-le, évoluera avec plus de tendresse par rapport à tes choix, ton nouveau toi et ce que tu portes de plus merveilleux... Et que dire de l'amour qui reste de cette union? Comme dans l'exemple de Joleil et de sa gêne, trouve un objet vivant, une plante par exemple, et prends-en soin. Elle mourra de sa belle mort quand tu auras fait la paix avec tous les aspects de ta vie amoureuse et tu pourras ensuite entrevoir plus sainement d'autres relations possibles et à venir.

10

VIRAGE IMPOSÉ

> Parfois, ma vie est
> comme des vagues
> qui déferlent
> dans la tempête,
> attachée
> au mât d'un immense voilier,
> face aux éléments
> de la mer en furie...

Après plusieurs années passées à vivre en parallèle des évènements, me voilà au centre, dans le couloir de l'attente...

Parfois, j'ai le cœur qui déborde d'impatience à force d'espérer qu'il se passe quelque chose. Je n'ai pas encore donné d'entrevues aux médias.

Ça fait trois mois que j'attends de recevoir de l'aide, tel que promis depuis l'arrestation. J'ai confiance en ma gestion, mais je veux être accompagnée par des professionnels et je crois y avoir droit. Rien. Il me semble que la moindre cohérence lors d'un évènement exceptionnel comme celui-ci serait d'accorder un soutien thérapeutique... Non! Il n'y a pas d'urgence parce qu'il n'y a pas de désordre apparent!

C'est l'isolement.

Je téléphone à une journaliste, une de ceux qui ont tenté de me rejoindre lors de la comparution de Daudelin au Palais de justice. Je veux dénoncer ma condition après toutes ces années. Parler fait tant de bien, et cesser de parler dans le vide pourrait faire en sorte que quelque chose de mieux puisse arriver…

Une rencontre de préparation a lieu au téléphone et une autre pour l'entrevue qui s'est déroulée dans un parc non loin de mon lieu de travail.

16 ANS APRÈS LE MEURTRE DE SA FILLE, LA MÈRE DE JOLEIL CAMPEAU PARLE POUR LA PREMIÈRE FOIS

La collaboration de la journaliste m'a aidée à concrétiser ma sortie du placard. Pour la première fois, je m'autorise à exprimer ma situation en public. Autant dire que je suis soulagée, d'une certaine façon. En plus, sortir de l'ombre n'est pas sans contre-effet : je dois faire face à la situation au grand jour.

Nouvel horizon, cet inconnu, à chaque tournant des pages de mon agenda.

J'avance, toujours devant, espérant le meilleur en tout.

...

Au travail, les évènements commencent à me dépasser. La rentrée a eu lieu ; chacune a son nouveau groupe et il y a de l'émoi dans l'air. Je sens que mes émotions ne tiendront pas le coup.

Pas vrai ! ...

Ce travail, c'est mon bonheur et toute ma vie, malgré le fait que je sois en perte d'énergie et ça ne finit pas de se prolonger. J'ai le cœur à l'ouvrage, mais je ne m'adapte pas au rythme qui m'est imposé !

Toujours enjouée, de bonne humeur, je fais bien mon travail, tout en étant hyper vigilante. Ça m'inquiète. Dans ma tête, ça va très vite et j'ai peur. Je me sens au-dessus de tout, comprenant tout ce qui se passe autour de moi et voulant tout résoudre. Une chose me dérange entre autres et je ne sais pas quoi faire : je ne peux endurer davantage la persistance de certains désagréments entre collègues, lesquels tardent à se régler. J'en ai assez de ce stress en continu. C'est tout un travail de gestion émotionnelle cette instabilité, en plus de cet autre combat à venir avec le procès, telle une épée de Damoclès au-dessus de ma tête. Je me sens puissante et impuissante à la fois. Faire mon travail comme je l'aime devient une tâche trop lourde. J'ai dû prendre mes distances par obligation.

Après une conversation avec une intervenante de la CAVAC de ma région pour une demande d'aide, trois voitures de police arrivent chez moi, venant vérifier si je voulais attenter à ma vie... Je suis amèrement surprise de constater l'erreur d'interprétation de mes propos.

— Non ! Je ne veux pas m'enlever la vie, pas aujourd'hui ! D'ailleurs, je n'ai fait aucune mention à ce sujet ...mais si je voulais mourir, oui, je veux mourir de cette vie que je vis maintenant parce que je suis paralysée, ne sachant où me tourner ni vers quel service, mais j'ai juste besoin d'aide, d'un soutien thérapeutique, qu'on m'aide à mieux vivre au travail, car je me sens perdre mes repères...

Je veux maximiser mes énergies et pour cela j'opte pour une super mise en forme. Je reçois une offre d'assister à un entraînement physique intensif quelques soirs par semaine et je suis touchée par la responsable qui m'encourage à poursuivre malgré les lacunes de ma forme. Elle s'impose devant mes besoins; les exercices sont sans contredit intenses et salutaires. À dépenser mes énergies d'une façon plus rigoureuse, j'ai l'impression de libérer une bombe prête à sauter. «Allez! Donna! Donne-toi à fond!» Nous sommes tous à nous entraîner comme des militaires dans l'armée, à l'exécution! Ça me fait rire à coup sûr et ça me fait beaucoup de bien! Mais je n'échappe pas pour autant aux hauts et aux bas de ma situation.

Retenue à la maison pour des raisons médicales je suis évaluée aux trente jours, l'aide à l'emploi ne m'est pas disponible et je suis encore plus mal en point parce que mon travail me manque.

Un matin, je me réveille en sueur, agitée et tremblante, avec des règles abondantes, je n'en peux plus de ce qui m'arrive. Finalement, rien de grave; une évaluation sommaire puis une médication ajustée. Je suis de plus en plus triste et je m'isole.

Quelques jours plus tard, pour me procurer un document, je me rends au centre médical; mon médecin est à l'urgence. Dans la file d'attente, j'ai encore un affaiblissement général accompagné de palpitations cardiaques. Quelqu'un tente de me porter secours, l'infirmière prend la relève, le docteur me demande de m'étendre, les jambes surélevées. Il me met une petite pilule sous la langue. Trois minutes plus tard, je sors du bureau et traverse la salle d'attente bondée, ordonnance en poche : « Allez ouste ! Chez vous ! Allez vous reposer. »

La petite pilule me réconforte et ça me fait du bien. Moins d'inquiétude et de complexité dans l'intensité émotionnelle, à part quelques soucis de mémoire, probablement dus à un excès de fatigue...

Que m'arrive-t-il ? Quand je pose la question au médecin, il me regarde en hochant la tête comme pour me dire : « Vous ne le voyez pas ? »

Enfin, je vois que je ne vais pas bien, mais j'ai besoin de mots, de sens pour me diriger et savoir sur quoi travailler. Personne ne m'informe, sauf un infirmier qui me dit timidement :

— Madame, vous vivez des évènements très difficiles !

Ah oui ! En plus, une infirmière est venue discrètement me voir et elle me renseigne sur une application trouvée sur internet qu'elle pratique elle-même. Je peux l'installer[19] sur un téléphone intelligent et le consulter en tout temps, sauf que je n'ai pas de téléphone intelligent. Cette information m'a été utile plus tard pour introduire la cohérence cardiaque dans ma pratique de vivre le moment présent : une priorité ! J'inspire, j'expire... C'est vrai que ça fait toute une différence !... Il se passe un petit quelque chose !

---

19   Web : RespiRelax.

...

Déjà inscrite dans la banque de remplacement d'une commission scolaire, on m'appelle pour un poste comme surveillante-remplaçante, deux heures par jour jusqu'à la fin décembre. J'ai du plaisir, mais il y a deux cent cinquante élèves inscrits à ce service de garde. C'est grand, une cour d'école, quand on est habituée à celle d'une garderie de la petite enfance ! Encore, je cherche à m'isoler pour ne pas me faire connaître ni faire connaître ma situation.

Un soir, dans un pub, après une séance d'entraînement, nous sommes quelques personnes autour d'un pichet de bière. Au moment où chacun partage sur l'avenir de ses enfants, lorsque vient mon tour de prendre la parole je décide, après seize ans, d'aborder ma situation familiale pour la première fois avec des étrangers de mon quartier. Nerveuse, je me contiens avec appréhension sur la réaction du groupe. Comme prévu, c'est la consternation. Une dame assise près de moi me laisse un message en catimini :

— Je te souhaite d'être accompagnée par un psychologue lors du procès.

Une de ses amies a vécu une situation semblable et cette aide lui a été nécessaire et salutaire. C'est à ce moment que je laisse entrevoir mon désarroi : le CLSC[20] offre un accompagnement de dix rencontres alors que je crois avoir un plus grand besoin. Elle me laisse discrètement entendre la possibilité d'obtenir plus de dix rencontres.

---

20   Centre local de services communautaires.

Révélation! Moi qui survis en endurance depuis si long-temps!

C'est entendu, je demanderai de l'aide psychologique par l'entremise de mon médecin. Trois mois après l'arrestation de l'accusé et quelques semaines après avoir brisé le silence sur ma situation personnelle, je n'ai pour seule thérapie pour apaiser mon stress et mon anxiété que l'exercice physique!

— Dans ta condition, ils feront ce qu'il faut pour que tu reçoives ce dont tu as besoin. Tu n'as pas à t'inquiéter.

Demander et recevoir de l'aide, mais... un accueil, de l'écoute, une compréhension - déconcertante parfois - de l'empathie... oui, merci à chacun des organismes, mais j'ai besoin d'autre chose. J'en ai assez d'avoir à me sentir comme une bête déambulant dans le manège d'un grand cirque à me présenter et à exposer une fois de plus ma situation.. Eh, que je comprends donc le désir naturel de fuir chez les gens en difficulté, en compensant par la médication, les drogues, l'alcool, le sexe et autres consommations ou compulsions... tentant de combler... un vide existentiel, un manque par-ci, un manque par-là; il y a des manques de toutes sortes!

Les étapes de ma vie cicatricielle les plus complexes à décrire sont ma descente vers les bas-fonds et ma remontée vers les hauts-fonds.

Mon inlassable appétit, des mises en place plus ou moins conscientes, plus ou moins volontaires ont maintenu ma quête de vie en continu, dans ses maintes aspirations. Je tente par tous les moyens d'alléger ma condition, tout en me sentant seule au monde...

Finalement, j'obtiens un premier rendez-vous avec une psychologue. Priorité : me trouver un salaire respectable malgré ma réticence à faire un pas de plus dans un quelconque engagement professionnel. J'en ai assez ! De me cacher ou d'être exposée, ou d'exposer au monde une certaine décrépitude. Seuls, nous ne valons rien ! De ne pouvoir répondre à une simple question telle que « Comment ça va ? », je déduis que je dois me protéger des regards impuissants des autres. Ils m'indisposent… pour l'instant ! Le désir de démontrer que je me sens bien en dépit de ce que je vis à l'intérieur, me laisse dans un contexte flou. Il me tarde de faire comprendre à mon entourage, perplexe face à mon ambition de mener une vie normale, que je vais bien. Je le sais. Je le vis.

Je vois un travailleur social pour quelques rencontres. Ma réalité, c'est cette inexorable attente de la date du procès et la difficulté de le mentionner, lors d'une entrevue, à un possible futur employeur.

Voyons la situation : je suis à la recherche d'un travail d'éducatrice ; j'ai de l'expérience ; je suis formée et je dois assister au procès pour le meurtre de ma fille dans les mois à venir. Comme présentation lors d'une entrevue d'embauche, c'est assez hors norme, je dirais. Depuis ma séparation, c'est l'une des choses les plus difficiles que j'aie eu à affronter, pratiquement et émotivement, publiquement en fait ! Tout ce que ça m'a pris de confiance…

J'ai retenu une phrase, celle de l'agente du bureau de l'assistance-emploi :

— Faites confiance aux gens, madame !

J'ai besoin de vivre, de profiter de la vie, de travailler, de bien manger, de payer mon loyer, mes comptes… Ai-je le choix ? Oui ! Si je me retrouve à la rue ou en psychiatrie, je devrai revenir au même point un jour, me chercher un emploi… avec le même statut !

— *Droit devant, ma belle : recherche d'emploi.*

…

J'ai fait confiance aux gens, mais on ne peut dire que mon état nerveux n'en a pas été affecté. Je suis désolée pour le dérangement émotionnel que cette situation a pu engendrer.

Je reprends une autre série de rencontres en psychothérapie, car je veux me préparer et me retrouver sur une nouvelle case départ après le procès. Je me sens défiante : ma zone de vulnérabilité reste cachée quelque part. Ne pas savoir où je vais ne m'aide en rien à préciser quels moyens prendre pour résoudre des problèmes que je ne peux définir, qui se cachent encore dans la zone de l'inconnu.

Je fais réviser mon état de santé aux deux mois avec le médecin. Pendant ce temps, mes parents octogénaires perdent lentement leur autonomie et laissent voir les signes d'un début de sénescence. J'ai la fragilité à fleur de peau. À leur maison, les tâches s'empilent et cela exige plus d'efforts qu'ils ne peuvent en fournir malgré l'aide proposée qui n'est pas retenue. Nous sommes six enfants et chacun peut offrir du temps…

Il m'est difficile de les voir, en plein lever de lune dans leur lent crépuscule… Je les supplie de faire les choses dans l'ordre, sans attendre que les évènements décident pour eux. Finalement, mes sœurs prennent la relève et s'occupent de leurs besoins avec rigueur et doigté. Je leur suis reconnaissante. Je peux m'occuper de mes choses et laisser mes parents en sécurité. D'ailleurs, ma compétence se situe pour l'instant avec les enfants plutôt qu'avec les personnes âgées.

Déjà en route vers le changement, ne sachant trop où la descente me fera atterrir, j'avance en chute libre. Tandis que mon corps dégringole lentement, mon âme tente de rester accrochée tout en haut. En constante mouvance, je perds régulièrement mes repères et le changement se perpétue. Je me pardonne et me condamne à la fois. Rester sur le chemin ! Est-ce le bon ? Suivre le chemin déjà tracé ou traverser la brousse ! Parfois, je sens de petites ailes me pousser avec des leviers en renfort pour me soutenir. Je n'ai qu'à faire un pas, tendre un bras, mais à qui ? Vers quoi ? Quelle direction suivre ?… Il me manque tant de connaissances pour donner du sens à tous mes apprentissages, tous plus intuitifs les uns que les autres. Tant de choses pour me sentir à l'aise !

J'ai obtenu, à ma demande, une évaluation psychiatrique pour comprendre si je souffre d'un trouble quelconque… Je me sens de plus en plus agitée, anxieuse, constamment angoissée. J'espère conserver la santé, refusant de la voir décliner en pente douce. À la fin, ça se conclut en un autre ajustement de médication, confirmant que le désir de savoir est déjà un pas dans la bonne direction. C'est un fait !

Je me sens comme une enfant qui n'a pas fini d'apprendre, pas fini de grandir ni de vivre. À mon âge ! Hors de tout doute, je me survivrai à moi-même, à mon corps qui m'abandonne parfois, car je n'en fais plus ce que j'en veux ! À plusieurs reprises, c'est dans ce mode d'incertitude, d'insécurité, que j'aurai survécu. Comment m'adapter à cette attente, à ne pas savoir ce qui va m'arriver, puisque les procédures n'en finissent plus.

Je souffre davantage de ne pas être au travail à faire ce qui me nourrit le plus et en même temps, en difficulté ajoutée. Mon travail d'éducatrice me comblerait, mais je me sens au bout de ma tolérance, d'autant plus que le stress que me cause ma santé augmente. En outre, je crains de devoir revisiter ma vie pour complètement changer de direction et croire que je peux arriver à faire autre chose. C'est assez pour m'empêcher d'agir. Mon corps n'est pas à l'ordre, même si ce n'est pas apparent… Entre les variations émotionnelles, vécues dans de très basses ou de très hautes fréquences, la stabilité devient presque impossible. Météo intemporelle, tempête intérieure, je te regarde comme un point mutable sur le radar de ma vie. Parfois, je laisse paraître ma détresse, tâchant toutefois d'en minimiser les effets les plus évidents afin de réduire l'inquiétude qui se vit autour de moi. À la fin, mon sentiment d'inefficacité augmente et je désire plus que tout au monde me retrouver dans un contexte sécurisant. Au cours de mes recherches, j'apprends finalement que la sécurité, ça part de soi… pas des autres !

J'obtiens enfin un poste d'éducatrice auprès de la petite enfance. L'emplacement, l'horaire et le salaire me conviennent, même si l'anxiété continue de m'envahir. Comment tout assimiler pour être à la hauteur des exigences du milieu ? Par exemple, j'ai du mal à retenir le nom des enfants ! Et des autres éducatrices ! Je mets tellement d'attention aux besoins du groupe ! J'ai mis jusqu'à six semaines pour apprendre le nom de tous les enfants alors qu'une autre employée n'en a pris que deux. Pis encore, même si je sais qu'une collègue s'appelle Geneviève, je l'appelle Marie-Ève. La situation devient assez gênante et je ne peux expliquer mon manque de cœur à l'ouvrage, même si je ne démontre que la joie d'un éternel optimisme.

Bien que je subisse, dans différents aspects de ma vie, une forte crise de croissance, j'entrevois la possibilité de livrer mon histoire par écrit. J'y songe alors que j'accompagne mes petits amis qui sont ma bénédiction quotidienne. J'aime mon travail et, en même temps, je doute de tout !

J'ai du temps libre en attente du procès et un besoin impératif d'occuper mon esprit. Je décide donc d'investir dans une formation de coaching professionnel et personnel quelques heures par semaine. Suicide financier ? Je prends le risque de mes économies sans savoir où cela me mènera. Sans penser à mes peurs, je me soucie de mes désirs et « j'accueille ma vie » !

Mon objectif d'études en coaching s'alignerait en ce sens, puisque j'aime accompagner les parents dans le défi d'éduquer leur enfant, et c'est cette option qui pourrait m'intéresser après le procès. C'est alors que je réalise que si je veux travailler avec les enfants, je dois d'abord m'adresser aux parents. Déjà, comme technicienne d'éducation, j'ai observé que les parents sont curieux à l'égard de notre savoir-faire avec leur enfant. Je me propose donc d'offrir des ateliers sur la communication avec les parents. Surprise chez mes collègues! Peu de réceptivité en fait. Je travaille dans un environnement où la majorité des enfants proviennent de milieux très aisés. Il faut avoir beaucoup d'humilité pour afficher ses défis parentaux. Pourtant, pour certains, c'est visible à l'œil nu. Il me semble que ce service devrait être offert dans toutes les garderies.

Mon projet ne plaît pas d'emblée, mais en isoloir ça marche! Avec les parents qui se sont avancés, même à leurs premiers pas, le succès s'est présenté.

Avant de quitter ce poste, sentant encore une tension dans mon corps comme dans le milieu, je reçois la consécration de toutes ces années passées auprès de mes jeunes «employeurs»: les enfants. Avec une aide-éducatrice, je travaille avec vingt enfants de quatre et cinq ans dans le local. Un jour, avant la sieste, j'ai reçu tout un compliment. Ah, ces petits! Un bonus au salaire… Tout hésitants, ces mots sont sortis de sa bouche, dans un élan d'expression rempli de conviction:

— Toi, madame Donna, ta plus grande qualité c'est… tu fais disparaître la guerre!

— Tu es chanceux, toi! que je lui réponds tout sourire.

Il avait le visage radieux et moi j'étais émue! *Comme j'aimerais que cela soit vrai!* Ses camarades ont vite compris et appuyé ses dires, confirmant ensemble, du regard et d'un signe de la tête dans ma direction:

— Hmm!

Ces simples mots, expression de ce que ressentent les enfants ont été précieux à mon cœur. Au-delà du diplôme, de l'évaluation salariale basée sur le temps et l'expérience, ce commentaire m'a confirmée dans mes capacités et mes compétences. J'ai ma reconnaissance, il ne m'en faut pas plus !

Lorsque les enfants se font interpeler, je m'organise pour qu'ils se sentent respectés dans le dialogue qui s'ensuit. Je les accueille en ces lieux d'apprentissage et de stimulation pour qu'ils aiment apprendre. Nulle approche négative : nous sommes là pour les aider à concrétiser leur estime de soi, pour les encadrer avec flexibilité. Les enfants souvent ne savent pas, ils oublient, mais ils doivent toutefois apprendre à faire face aux conséquences de leurs gestes, à prendre leurs responsabilités ; éduquer veut aussi dire *ré-pé-ter inlassablement*. Ça semble fonctionner, car c'est pour eux d'abord que je travaille.

Éduquer des enfants est l'aboutissement d'une espérance vivante envers une vie nouvelle ; celle-ci devint bien réelle après la mort de ma fille. J'ai tellement vu les épaules de ces jeunes se relever ! Il me semble que la structure d'un monde meilleur s'est réalisée dans mon local.

C'est toujours un idéal à atteindre.

...

Depuis de nombreuses années, j'ai tenté d'être secourue et j'ai cherché à valider l'utilité de mes actions à travers de nombreuses approches qui m'ont, tant bien que mal, accompagnée dans ma démarche personnelle.

J'ai tardé à me cibler avec précision dans chacun de mes revers ! Il a fallu d'abord identifier mes « malmenances » et leurs conséquences, naviguer longtemps en eaux troubles et accueillir le tout, tel quel. Mes doutes se sont apaisés ou intensifiés, je suis arrivée à mieux les situer et les suivre dans leur voie d'origine. Ce chemin de constats a été plus ou moins calculé, au terme de tant de pistes et de réflexions, de fausses persuasions et d'échecs. Tant de questions ! Mais encore, quand tu ne sais pas lesquelles te poser !... J'assume bon gré mal gré tous les risques encourus et je me demande pardon.

Ma foi fut ma ligne de conduite pure, le reste a été testé à la dure. J'ai donc cherché à savoir pourquoi et comment réagir lorsque, voulant une chose, c'est tout autre chose qui arrive. J'ai voulu mieux me comprendre ; mieux comprendre mon environnement et découvrir les forces qui me gouvernent ; sortir de l'isolement, de l'insécurité aussi, afin d'ajouter à ma vie des tonnes de bon sens pour des tonnes de bon sang !

Je m'entête. Ma route n'a pas fini de suivre la trace dictée par ma conviction. Mais d'où me vient cette conscience ? De l'ensemble de mes expériences, je crois.

...

Dans le but d'améliorer ma compréhension et de voir plus clair dans ma vie, je décide de jeter un coup d'œil dans ma boîte à outils. J'opte pour la symbolisation en me posant la question suivante : qu'est-ce qui m'embête et m'empêche depuis si longtemps de me sentir mieux dans l'être, l'avoir et le faire ? Je suis un être en évolution !

Je confectionne de la pâte à sel avec de la farine, du sel et de l'eau. Je roule ma boule de pâte sur la table et en fais un serpent, allant et venant avec ma main ouverte, comme on l'a tous sans doute déjà fait. Puis, je fais un nœud en imaginant celui qui se trouve dans ma gorge et qui altère souvent mon expression, mon corps et mon esprit. J'imagine ce nœud coincé dans ma gorge, ce nœud qui, dans ma façon de communiquer, fait parfois passer les mots de travers.

Je le salue. Je l'accueille et lui offre toute l'attention qu'il est en droit de recevoir puisque cette fois, j'en ai assez! Je suis prête à lui faire face.

Je lui laisse le temps de se présenter à moi.

— *Salut! Je sais que tu existes, mais je ne sais pas qui tu es ou ce que tu représentes dans ma vie. Je te prie de me le faire savoir. C'est un réel besoin en moi et je te remercie à l'avance! Bienvenue à toi, ici!*

Trois jours après ce bricolage, je regarde le nœud laissé sur le réfrigérateur, il a séché, il est sec et solide. En passant devant, un mot me traverse l'esprit: TDAH! Du coup, en continuant mon chemin, je me demande ce qui vient de se présenter à moi, tout en retenant l'effet produit. En thérapie, ce même jour, bien que tout se passe avec efficacité, je sens que quelque chose me manque. C'est alors que je reviens au nœud et déballe tout quant à mon attitude, attitude qui jusque-là m'avait obsédée et dont je n'avais jamais parlé avec qui que ce soit, autrement que par des blagues. J'en parle maintenant et, en sourdine, j'ose à peine accepter d'entendre TDAH!

La psychologue me parle d'un site internet[21] qui offre de l'information sur ce trouble. Autre révélation-choc!

---

21 Web: tdah-adulte.org.

Je me suis reconnue plus qu'en partie : un site parle de ce que je vis !

Parfois, on arrive rapidement à comprendre quelque chose avant que tout prenne place dans une autre réalité, plus complexe celle-là. Changer son identité alors qu'on se veut authentique et réaliste, douter, se sentir un être à part, flairer l'occasion d'être dans le trouble sans le vouloir... Peut-être suis-je atteinte de ce déficit d'attention, ce qui expliquerait bien des malaises face à certains combats personnels perdus d'avance, face à trop d'actes manqués...

Je trouve sur le site toutes les recettes pour réussir à mieux vivre avec ce syndrome. Mais, il me manque l'énergie pour changer, je crois de moins en moins que ce soit possible ; je me repose de plus en plus et j'y pense peu. En fait, je suis dans le déni, à l'abri pour l'instant.

...

Une amie me propose un poste d'animatrice à temps partiel pour les jeunes enfants, dans une maison d'hébergement pour femmes violentées. Petit groupe, sans autre mandat que de stimuler le langage par le jeu. À six ans, je faisais la même chose chez mes parents, étant la plus vieille des filles. C'est très modérément amusant comme défi !

Même si la direction a accepté de contribuer à l'achat du matériel didactique que je leur ai proposé, je ne peux en fait m'investir comme je le souhaiterais, ne pouvant mettre à profit mon approche différente de la leur. Ce défi manque de stimulation. Les femmes ont peu ou n'ont aucune formation quant aux mécanismes de leur propre gestion de leurs ressources personnelles. Question de budget ou de ressources ?

Ce lieu représente tout de même un arrêt dans un circuit. Un espace, leur espace...

En fait, côtoyer des femmes m'apprend beaucoup sur les organismes qui offrent un tel service. De l'intérieur, ça semble magique ! Des femmes dans des situations particulières avec des défis personnels et familiaux se retrouvent à reprendre leurs droits, dans le respect. Elles décident de faire un pas vers elles-mêmes, vers un changement de vie possible. C'est bon de les voir se réaliser et de constater la chance qu'elles ont de bénéficier de cette aide.

Attention quand même ! C'est dur parfois ! Plusieurs vivent avec de gros problèmes !

En thérapie, plus ma situation se clarifie, plus elle se complique. Je suis confrontée à moi-même et à mes propres moyens, à ceux d'avant, pendant et après une quatrième crise existentielle. La première, avec des tremblements à l'intérieur de tout mon corps lorsque Joleil est disparue. La deuxième, cinq ans après, quand notre couple s'est séparé douloureusement. La troisième, onze ans plus tard, à l'arrestation du présumé assassin, et la dernière, à mon travail devenu instable. Me réorienter ? Je me sens devenir un automate, isolé, démuni, dépitée face à ces combats intérieurs dans lesquels je me suis crue apte à éviter tous les coups ! Plus d'énergie pour le reste ! À cela s'ajoutent des déceptions en montagnes russes. Je suis une personne joyeuse et d'un naturel optimiste... Mais là, je ne me reconnais plus. Qu'est-ce que tout ça? L'âge, des situations compliquées, de l'incapacité, de l'impatience et de l'intolérance aussi?

Durant ce temps d'attente du procès, un matin, en lisant le journal, je prends connaissance d'un sujet susceptible de m'intéresser. Des soldats de retour d'Afghanistan, en choc post-traumatique et sans ressources, sont laissés à eux-mêmes. Désolant...
Mais qu'est-ce qu'un choc post-traumatique?

Je découvre que les symptômes énumérés ressemblent à ce que j'ai vécu et à ce que je vis encore. Curieux constat! Apprendre par les journaux les raisons de mon malaise! Je peux en témoigner, vivant aussi ces mêmes manifestations physiques et émotionnelles, complexes à décrire puisqu'elles ne sont pas apparentes; elles arrivent et disparaissent tout aussi vivement, d'autant plus que je tente de ne pas les laisser paraître...
Après avoir rencontré plusieurs intervenants du milieu médical, je me questionne à propos de la «langue de bois» utilisée dans le milieu.

Je fais une recherche sur internet à propos du traitement de l'anxiété. En dix minutes, une définition vulgarisée de l'anxiété et de l'angoisse me permet de comprendre ce que je vis. C'est comme de se retrouver dans la peur issue du passé ou dans l'inquiétude face à l'avenir. Et plus encore, quand on se retrouve le nez collé face au mur, ne sachant plus quoi faire pour avancer et vivre autrement, c'est la panique: on ne peut tourner ni à gauche ni à droite, l'émotion prend alors le dessus et nous fait perdre le contrôle, ce qui s'exprime dans le corps, notamment par l'augmentation des palpitations cardiaques, des sueurs, des tremblements, et cetera.

Merci, internet, pour ces apprentissages.

Bonjour, anxiété !

Après avoir vécu quelques situations de panique, je me suis finalement préparée à expérimenter la prochaine crise. Lorsque je vivrai de nouveau cet état de désordre physiologique, je lâcherai tout et j'irai faire quelque chose, bricoler par exemple. C'était prévu dans mon agenda caché.

En faisant la vaisselle un bon soir, calme et à l'écoute de mes réflexions, subitement, je sens mon corps s'agiter de l'intérieur. Aussitôt, je fixe mon attention sur ce qui se passe : deux pensées émergent et se croisent dans mon esprit comme pour faire un « X ». Je les ai senties venir et au point de rencontre, mon corps a réagi plus fortement et s'est mis à trembler, palpitations et surprise comprises. Soudain en sueur, j'ai commencé à m'agiter. Tout va très vite.

Je retire rapidement mes gants de vaisselle, et je me dirige vers ma boîte de cartons. Les mains tremblantes, je sors du tiroir une paire de ciseaux et du papier collant. Je m'installe promptement à la table, sans perdre de vue l'objectif fixé de créer quelque chose avec de la matière. À mi-temps de l'activité, je réalise que mon état mental est dans une condition tout autre qu'au début de la crise malgré les palpitations cardiaques toujours actives, mais moins intenses. Changement de dynamique, je tente la mise sur ce qui va se passer : je découpe, assemble, colle, puis dépose le tout sur la table et contemple le résultat. Sans grande surprise, parce que ma conscience est demeurée alerte durant tout le processus. Je réalise surtout que mon rythme cardiaque et mon stress ont diminué. Mon mental s'est fixé à même la tâche. Je me suis enracinée dans le concret pour en revenir à un état plus équilibré. L'objectif prévu est demeuré en lien avec le déclencheur de la crise, j'ai réussi à contrôler l'affolement du mental en le soumettant à un ordre autrement synchronisé.

J'ai pu réfléchir, cibler et identifier les éléments déclencheurs de la crise et contrer leurs effets par une réaction organisée, maîtrisée, déterminée à l'avance qui, en se transmettant à mon cycle nerveux l'a rendu plus calme, transmettant ce calme à toutes les parties de mon corps. J'ai pu observer, comme dans un film au ralenti, sans image ni couleur, les deux pensées se croiser. À l'arrêt, j'ai pris un certain temps pour les situer, les identifier et leur chercher un possible dénominateur commun. J'ai ainsi compris qu'elles étaient en contradiction avec ma pensée, ma parole, mon senti et mon action. Dans cet état de panique, tout mon système s'était ébranlé en guise de signal d'alarme face à cet état qui n'était pas moi...

Quand on veut, on peut! Il faut juste être prêt au changement et se préparer pour les rendez-vous impromptus.

Suite au diagnostic, place au remède...

...

L'idée d'écrire mon histoire se précise davantage.

D'abord, je veux que les informations contenues puissent servir de mémoire à ma famille en transmettant ma version des faits. Mes premières ébauches d'écritures évaluées, je réalise que ça peut être possible. Mon équilibre à ce niveau se stabilise. Tout va bien, mais... l'insécurité financière me guette constamment.

De plus, au cours de toutes ces années passées, on m'a souvent demandé comment j'arrivais à survivre et quelle était mon implication dans l'enquête. On m'a aussi laissé considérer le fait que d'autres enfants pourraient devenir victimes si rien n'était réglé. Des commentaires compréhensibles, mais, je me défends d'agir en ce sens pour me faire redire ce que je sais déjà : c'est une « AFFAIRE NON RÉSOLUE » Ou il n'y a pas de nouveau dans le dossier, maintenant informatisé à la grandeur du Canada. S'il y avait du nouveau, je serais mise au courant.

À la maison, je n'ai sorti des photos de Joleil qu'après dix ans. Non pas que je ne pouvais les voir, mais je me consacrais entièrement à mon travail… Que faire d'autre sans risquer de provoquer de malaise au sein de ma famille ou lors d'une visite quelconque ?

Après tout ce temps, j'ai réalisé ma vulnérabilité lorsque je passais à l'occasion devant ces photos. Des émotions remontaient à la surface et je songeais à celles des gens touchés par une situation de deuil semblable à la mienne, à l'impossibilité de concevoir le deuil d'un enfant même pour les gens de ma famille ! Mais, il n'était pas question pour moi d'éviter d'aborder le sujet de la mort de Joleil ou du drame associé… Je poursuivais ma vie et continuais de vivre d'amour des enfants !

Je réussissais tant bien que mal. Mais combien d'hésitations, d'allers et retours, de questionnements ?

Certains membres de ma famille avaient même constaté la différence du regard d'autrui dans leur environnement de travail, lorsqu'on apprenait que la petite fille assassinée dont il était question à la télévision ou dans les journaux était la nièce ou la cousine ou l'amie d'un ou d'une des leurs. Les regards changeaient, l'attitude aussi.

Parfois, je me sens coupable d'avoir gardé l'amour et la perte de mon enfant sous silence. Même si j'ai fait ce que j'ai pu en me mettant au service d'autres enfants, peut-être aurais-je dû, depuis le début, laisser voir au grand jour ce que c'était que de vivre avec le décès tragique de son jeune enfant. Peut-être aurais-je pu ainsi transférer paisiblement aux autres ce que je vivais. Le stress du silence que je me suis imposé n'a-t-il fait qu'augmenter mon anxiété? Qui sait? Surtout que depuis que j'ai accepté de m'ouvrir quant à mon identité et à celle de ma fille, Joleil se rapproche de plus en plus de moi en rêve...

Entre le travail à temps plein, l'écriture, le coaching, l'entraînement physique, c'est beaucoup, pour peu que je finisse par réaliser quelque chose de bon. Mais je tiens le coup, debout!

Depuis la mort de Joleil, j'ai toujours voulu éviter les regards de misère sur moi et faire preuve de mes capacités de résilience en tant qu'adulte et éducatrice. Pour ce faire, j'ai évité de parler de ma vie personnelle. Durant toutes ces années, quand on parlait de nos enfants, je répondais vaguement, je gardais le silence ou je quittais discrètement les lieux. Dix années sont passées avant que je décide de ne plus cacher cette situation; tentant d'atténuer le plus possible les réactions de stupéfaction associées au choc de la nouvelle et, pour certains, d'avoir à faire face à une réalité à peine imaginable.

À part ce silence afin d'effectuer mon travail au même titre que la plupart de mes collègues, je souligne qu'il m'est arrivé de dévoiler ici et là des bribes de mon histoire de mère, lorsque je sentais mes interlocuteurs capables d'absorber le coup. Mais j'ai bien réalisé qu'on ne tenait pas toujours à connaître tous les détails. De mon côté, il m'était difficile de faire du « sur-place » en me remémorant toujours les mêmes souvenirs. Mélancolie de la répétition.

Un jour que je cherchais un souvenir de ma fille que je ne retrouvais pas, j'ai simulé une recherche dans ma tête, montant un escalier menant devant la porte d'un grenier. Rendue dans cet espace, il n'y avait rien. Puis, j'ai trouvé un escabeau pour accéder au plafond, rien d'autre que des fils d'araignée partout, d'une épaisseur à faire frémir. J'ai enfoncé ma main à travers un bon trente centimètres de fils entassés, me faufilant comme dans de la laine isolante pour essayer d'attraper quelque chose. Et puis, j'ai trouvé un objet de mes souvenirs ! Puis un autre, puis tous les autres ! Je n'ai jamais douté, je savais sciemment que si ces trésors avaient existé, je pouvais les retrouver.

Combien de gens se refusent à quitter la peine d'un deuil de peur d'oublier les souvenirs de la personne aimée ? S'il y a problème médical, la mémoire peut défaillir, mais normalement on se rappelle les gens importants de notre vie. Ce qui est para-doxal par contre, c'est la possibilité d'oublier ce qui est contenu dans notre relation à cette personne. Oui, l'inconscient ou le subconscient existent, avec tout ce qu'il faut pour s'y rendre et la possibilité de rendre sa vie plus agréable. C'est d'une inutile désespérance que de croire que l'amour et son contenu peuvent disparaître.

La plupart des gens qui ont connu la personne décédée ont, eux aussi, des souvenirs à relater, s'ils le veulent bien évidemment, et ce, surtout dans des conditions favorables. Se faciliter la vie et éviter les troubles sont monnaie courante de nos jours, mais une trop grande discrétion fait aussi mal qu'elle peut tuer la vie en soi.

Oui, à l'occasion, je suis jalouse que d'autres aient en mémoire des souvenirs de Joleil que je n'ai pas. Puis je me ressaisis, me sachant pertinemment heureuse de réaliser, moi sa mère, que Joleil a elle aussi laissé sa trace ailleurs que dans ma vie et qu'elle est vivante dans le cœur de bien des gens qui l'ont côtoyée…

À certains moments, l'absence se fait tellement sentir que j'en crie! En de rares occasions, vite dans la baignoire, débarbouillette au visage pour laisser s'échapper ce qu'on pourrait appeler des «pleurs de vache», tout aussi gras, à se vider la poitrine et les entrailles. En chacun de nous, je dirais, dans la famille immédiate d'abord et chez les autres ensuite, il y a plein d'amour qui survit à Joleil et dont nous n'avons qu'à assumer l'expression de quelque façon que ce soit.

L'empreinte laissée sur la sensibilité des gens lorsqu'ils apprennent la mort d'un enfant au sein d'une famille unie est profonde, surtout si cette mort est survenue de façon subite et violente. Et le sentiment d'abandon physique redevient incroyablement réel. Comment s'y soustraire sans cesser d'exister soi-même?

Comment aller au fond des choses, comment comprendre qu'une telle chose puisse arriver, et pourquoi à moi, pourquoi à qui que ce soit d'autre ? Ça force à faire acte d'humilité ? Comment faire face à la perte quand l'acceptation et la réalité nous soutirent tous nos efforts, toute notre énergie ? Comment arriver à être présent à ces « rencontres » sans être trop bousculé par la révélation de nos propres blessures et souffrances ? Il s'agit là d'un parcours très audacieux et encore plus saisissant si on parvient un jour à saisir la profondeur de sa signification.

Après la rencontre avec la psychologue, beaucoup plus de travail a dû se faire sur mon langage intérieur. C'est là que j'ai vu la vie forcer la vie et la survie renforcer la vie. Mais le prix à payer pour dévoiler ainsi son intimité y va du double au comble !

Je réalise que c'est bien beau de se poser des questions, mais maintenant, une autre question s'ensuit : suis-je prête à faire face aux réponses ? C'est fascinant de constater cette personnalité en soi qui s'ouvre dans l'épreuve. Il y a près de vingt ans que Joleil est décédée et on parle encore d'elle comme si c'était hier, même avec des étrangers ! Difficile ? Oui !

Aller plus loin ?
La solution peut aussi résider dans le refus d'y réfléchir davantage, tout autant que dans d'autres émotions restées bloquées. Et il y a les stress et la détresse à gérer ; à voir venir ; à accueillir ; à apprendre à leur laisser de la place et à les laisser partir... Ça se pratique ! Un peu comme dans un groupe d'entraide comparable aux « Anonymes », là où tous ceux qui s'y trouvent se comprennent comme vivant la même souffrance, celle de tout un chacun.

Je décide donc de parler de ma souffrance avec des gens comme moi, des parents endeuillés dans un groupe de rencontres mensuelles. C'est là que j'ai compris où est ma place. J'ai compris que le groupe dont je fais désormais partie est celui des parents qui ont perdu un enfant, de quelque façon que ce soit. Même s'il m'est demandé de garder sous silence le contenu ou les circonstances du procès à venir (bien que je n'en sache pas grand-chose pour le moment), je passe outre la consigne. J'en ai assez de tout garder pour moi : ma thérapie et ce que je vis, car mon environnement ne peut rien de plus pour moi. En décidant de participer à ces rencontres, je constate que mon deuil, après avoir pris plus d'importance, est ensuite devenu plus léger, parce que partagé. Tout un apaisement !

…

Ça m'a pris des années de programmations, de lectures, de rencontres, de réponses évasives, d'évènements de toutes saveurs et variétés… pour arriver à réaliser l'importance du sacré. Qu'est-ce que l'amour infini ? Qu'est-ce que l'amour sans condition ? En définitive, je n'avais aucun pouvoir de vie unilatéral, ni sur ma fille, ni sur qui que ce soit et je devais vivre conformément avec les autres puisque je fais partie d'un tout ; et que ce tout fait partie de moi. Les interrelations s'appuient sur des bases solides et nous sommes ces bases ! Il devient impossible d'en tester la résistance tout en voulant s'en exclure et en faire partie à la fois. On n'a d'ailleurs pas le choix.

Que de déroutes pour retrouver le chemin !

Traumatisme, soupçons, impatience… Sans oublier l'impossibilité de passer à côté de la dimension tragique de la situation ou, au contraire, d'accepter de n'y voir que la cohérence dans un chaos organisé.

Comment je fais pour m'en sortir et arriver à continuer à vivre avec les gens qui m'entourent?

J'ai refait le chemin dans le sens inverse et constaté une lente reprogrammation de mes systèmes.

Depuis plusieurs années, je visite tous les «hôpitaux du mieux-être» pour apprendre la modération de conscience, l'équilibre, la liaison à l'essentiel, le senti du cœur et le ressenti en action...

Je suis en dette d'honneur! Celles envers moi-même, envers ma fille, mes parents, ma famille et les gens qui m'entourent. Si j'avais eu à mourir avant ma fille, j'aurais voulu être fière du chemin qu'elle aurait pris avec tous ceux qui l'entourent, tout comme je veux que son œil d'enfant décédée puisse contempler mon chemin avec fierté. L'orgueil n'a pas que des côtés négatifs, c'est un pansement, c'est ma survie... Et si ça peut servir à d'autres!

Mais tout le temps que durera ce parcours, le masque tiendra-t-il le coup? Devant la tristesse aiguë ou la colère subjuguée que je rencontre chez certaines personnes, ou au sein des groupes d'entraide, puis-je moi aussi espérer être entendue, comprise et soutenue? Je dois m'occuper de moi, moi-même, là, tout de suite et en tout temps et en ayant tout de même ce regard attentif aux autres, chacun sur sa route, croisant celle des autres!

...

Dans une réflexion plus avancée, et devant toutes ces alternances et ces variations de pensée, je me suis aussi questionnée sur les états de peines et de joies profondes et sur les exercices pratiques ayant pour but de symboliser la violence, en l'occurrence toutes celles qui se vivent par ignorance. En voulant m'aider à me reprogrammer, tout en me validant quant à ma normalité, j'ai découvert sur internet une spécialiste en neuro-anatomie : docteure Taylor[22]. Elle démontre de façon très nette et scientifique, ainsi que par son exemple personnel, que notre cerveau opère comme un ordinateur dans les changements de réaction de chacun de nos deux hémisphères cérébraux, gauche et droit, selon nos phases de comportements en position et en conscience. L'un représentant les rêves du passé et du futur ; l'autre la réalité du moment présent avec nos cinq sens.

Cette démonstration se joint aussi aux idées de Hellinger[23] concernant la réparation des intrications comprises dans les liens familiaux. Dans la théorie des constellations familiales et systémiques d'Hellinger, comme dans l'écologie relationnelle de Salomé[24], tout passe par la communication : on identifie le concept d'un quotient relationnel en termes du meilleur à s'apporter à soi-même et aux autres dans le positionnement et la responsabilité à son bout de la relation. Ici, pour imager ce que représente ce discours sans avoir l'air de balbutier comme un bébé, je tenterai de représenter cette notion de par mon expé-

---

22   Sur le web : Conférence de Jill Bolte Taylor, formée à l'Université de Harvard, tirée de son livre *My stroke of Insight*, 2009.

23   Wikipédia : Originaire de Toulouse en France.

24   Wikipédia : Bert Hellinger, né Anton Hellinger en 1925 à Leimen, est un psychothérapeute allemand spécialisé dans les relations familiales et auteur d'ouvrages de psychothérapie.

rience de vie, semblable à un *slinky*, aussi appelé «ondamania».
Il s'agit d'un objet en forme de ressort continu que l'on tient en
mains par ses extrémités. Lorsqu'élevé ou abaissé, le poids se
transfère et produit un effet de mouvement latéral : de gauche
à droite et inversement, laissant apparaître toute une myriade
de déversements possibles. C'est amusant comme jeu de mains,
mais si ces mouvements sont associés à mes pensées, émotions,
moyens et résultats à corriger, ils auront à être constatés dans
leurs diverses réactions, nous forçant à nous questionner sur ce
qui fonctionne ou ne fonctionne pas entre les personnes en position. Quand de réels plaisirs de la vie ont du mal à se manifester,
ça peut s'apparenter à une partie du ressort qui serait sortie de
son axe. Le mouvement fluide de l'alternatif est interrompu ins-
tantanément à l'endroit exact où loge l'incident, créant ainsi une
sorte de conflit de coordination de mouvements. Dès lors apparaît un problème, donc une solution possible. Et des possibles, il
y en a !

C'est assez simplet comme démonstration, je l'avoue. Mais
une activité aussi importante qu'une émotion en réaction
entraîne tellement d'impact sur le mental, le corps et l'esprit !
D'où un temps d'étude de l'action en situation d'arrêt, avec à
sa base une relation à redéfinir entre les trois entités suivantes :
l'un, l'autre et la relation elle-même.

J'avoue être dans la complexité de bien des situations de vie à
expliquer, et si je m'y suis retrouvée, c'est en prenant le risque de
me mouiller ! L'erreur fait partie de l'apprentissage et tant que
j'apprends, je suis.

La difficulté à se référer à certains évènements qui ont eu lieu tôt dans une vie est englobée dans une énergie que j'appellerais la mémoire résiduelle, comme celle que pourrait contenir un bac de recyclage qui n'en finit pas d'être plein à force d'être vidé... Le travail de la mémoire est de se rappeler. Et si je veux y avoir accès, elle doit être animée d'une action réparatrice. Quand la vibration au niveau de cette énergie en général cherche l'équilibre, le repositionnement des perceptions a lieu dans l'expérience comme dans les hémisphères cérébraux séparés l'un de l'autre et dont les réactions sont issues. S'opère alors dans le corps un changement notable et assuré à partir de constantes mieux ajustées. Je l'ai vécu dans l'expérience. Il suffit de s'informer, de prendre connaissance de l'information, de s'en approprier, de procéder à l'expérimentation et de passer du réactionnel au relationnel.

Le processus de repositionnement relationnel m'a interpellée depuis l'école alternative où étudiait Joleil. S'est alors ouverte à moi la possibilité d'obtenir de nouveaux résultats à même de nouvelles équations. Des séances sur le sujet, des conférences et ateliers sont offerts, entre autres ici au Québec, par des gens bien formés.

Mon souhait a longtemps été de me sortir de mon errance. À force et faute de moyens de vivre en série des histoires qui m'ont fait souffrir inutilement, j'ai réussi à profiter de ces heureuses occasions de réparations qui ne m'ont donné d'autre choix pour y survivre, que de les vivre au grand jour.

Des gens mieux placés que moi étudient en profondeur ces théories et pratiquent avec des approches plus avancées. Déjà plusieurs personnes ont conscience de leur capacité à faire changer les choses en commençant par se changer elles-mêmes et améliorer par le fait même leur mode de communication. Personnellement, dans l'ordre de ce parcours, je m'en tiens encore à la base. Si j'avais eu plus d'argent, plus d'énergie et de temps, j'aurais suivi davantage de formations !

Je me suis investie à aboutir à cette clarification uniquement par mes recherches et réflexions. Elle me donne ce que je recherche depuis très longtemps : de l'information sur les diverses fonctions du mental, en relation avec des résultats ayant une résonance dans mon environnement. Pour ainsi dire, ce qui m'a le plus aidé à faire de grands pas dans mon désir d'améliorer ma qualité de vie intérieure, c'est ma foi en la vie nouvelle ; là où j'ai trouvé le plus de stabilité dans les épreuves que je traverse. Je ne dirais pas que tout est parfait, mais c'est presque parfait ainsi !

11

ENQUÊTE PRÉLIMINAIRE
Février 2013

Après vingt mois derrière les barreaux en protection maximum, viennent deux jours d'enquête préliminaire. Je m'attends à apprendre beaucoup de choses à la cour du Palais de justice de Laval. Mais on ne m'offre que du cinéma, je dirais du cinéma très bas de gamme. Désolée pour les budgets administratifs !

Nous sommes avisés plus d'une fois : demain ne sera pas un jour facile ! Pour ma part, je comprends que c'est comme si j'allais recevoir un coup de poing en plein cœur pour ne pas dire en pleine gueule.

Pas besoin d'en rajouter, le repos a été stressant.

Le lendemain, plusieurs membres de la famille du père de Joleil sont présents. La bonne humeur règne, la rencontre est agréable, chaleureuse. Pour ce qui est des membres de ma famille, la date de cet évènement a été mentionnée à chacune de nos rencontres familiales ; aucun ne l'a notée ! Pas de problème ! Pour l'instant, je m'approprie solennellement cet instant en leur nom. Et puis, je ne suggère cette épreuve qu'aux âmes averties.

Les deux procureurs de la Couronne au dossier démontrent à répétition énormément de sensibilité, nous avisant de l'intensité de l'information à recevoir. L'enquêteur principal et d'autres agents sont tout aussi prévoyants et s'enquièrent régulièrement de notre bien-être.

Procédure, procédure, procédure, nous ne pouvons connaître l'identité des enquêteurs qui ont dû masquer leur rôle en se faisant passer pour des recruteurs de chefs de gang... Sur treize écrans, nous avons vu et entendu l'organisation déployée pour en arriver aux aveux de ce mécréant et ignoble assassin concernant le meurtre de ma fille.

J'ai tant pleuré après la disparition de Joleil, imaginant les pires scénarios... et maintenant je suis devant la vérité. Je la crois. Lorsqu'il a décrit sa rencontre avec ma fille, sa victime, et la réaction de celle-ci... je l'ai reconnue.

Selon sa description des faits, c'est bien de Joleil qu'il s'agit et je peux croire à ce qui lui est arrivé.

Difficile.

Bon! Changement d'hémisphère cérébral! Après le rationnel, passons à l'émotion.

Douloureux.

Enfin!

Je sais maintenant ce qui s'est passé pour elle, après que j'aie entendu ses petits pas monter en courant l'escalier menant à la cour arrière. Douloureux, parce que je ne peux imaginer ce que ma fille a vécu de l'agressivité animale de ce salopard en fin de cavale.

Quand on dit qu'il faut le voir pour le croire! Voilà!

Après sa disparition, à part sa ceinture, je n'ai reçu aucune autre information. Pour ses lunettes… elles sont toujours portées disparues.

Depuis la description que Daudelin a faite de la réaction de ma fille à ce rendez-vous fatal, je m'interroge sur la véracité de ses propos et j'imagine une partie de ce qu'elle a vécu, jusque-là coincée dans la noirceur…

J'ai peine à me soustraire à toute la misère du monde en cet instant. Mais je sais qu'elle est là cette misère. Je la ressens, nous la ressentons tous à travers la lourdeur et les courts silences dans l'atmosphère de la salle.

Les joies de la vie sont grandes; les peines aussi.

Joleil, je suis désolée de ce qui t'est arrivé. Je te demande pardon! Je me sens en partie responsable; un parent est censé protéger son enfant. Je t'aime gros comme l'Univers, tu sais. Merci d'avoir été là et d'être encore là dans ma vie. Personne n'aura apporté autant de vie à ma vie.

J'ai pleuré de nouveau sur ce que j'avais déjà pleuré avant, durant les recherches, à son enterrement, durant l'enquête… Je suis triste, la peine est là, à accueillir. Elle et moi, nous nous berçons, je suis dans les bras de la peine. Je me dois cet instant, …il y a tant d'amour…

Une colère tranquille me monte au nez, impuissante, comme s'il n'y avait rien d'autre que cette colère en moi.

Un agent de sécurité est posté à deux chaises devant moi. Il surveille mes moindres réactions; je peux dire que ça paralyse toute tentative de réagir!

J'avais suivi une formation sur la gestion des émotions avec le CLSC de ma région et une des étapes du programme était d'apprendre à tolérer la détresse.

Assise à écouter le déroulement des évènements dans la salle d'audience, je sais que j'en suis à cette étape : « *Tolère ta détresse, Donna et trouve un moyen d'évacuer ton stress et de l'empêcher de s'accentuer, sans faire d'éclat ni fausser compagnie à la procédure. Tu dois rester présente pour tout entendre.* »

Je regarde les mouchoirs utilisés dans mes mains. J'en fais une boule. Je la serre de rage entre mes poings et je la change de mains, en serrant plus fort. J'inspire et j'expire, silencieuse. J'alterne cette manipulation d'une main à l'autre et j'observe l'énergie de ma colère passer et se relâcher, en prenant conscience de ce qui se passe dans les muscles de mes bras et dans tout mon corps.

Si ça m'a fait du bien? Non. Mais au moins, l'émotion ne s'est pas amplifiée. Assise, les coudes sur les genoux, la tête penchée, le regard tourné vers le sol, aveuglée par la vie et de la mort... Le temps a passé. Puis, je réécoute ce qui se dit devant, c'est la répétition d'un flot de paroles qui se répercutent entre les avocats et la juge. Je réalise que cela me tue d'ennui. Je sors pour changer d'air.

Assez! Tout ce que je devais savoir a été dit, démontré.

Je suis entrée dans le local de la CAVAC, situé à gauche à la sortie de la salle. Je veux être seule, mais ne me laissez pas seule. Je fixe le temps : moi ici, et dehors les arbres, les rues, les immeubles, le ciel, les nuages, les voitures en mouvement... J'en suis absente, je suis de l'autre côté de cette barrière transparente à regarder par cette fenêtre.

Dehors, là-bas où rien de ce qui se passe ici n'a d'importance. Qu'est-ce que je fais ici ? Je pourrais être ailleurs, mais je veux vivre ce qui se passe ici, dans cet espace, à la table de la paix où se déroule ce rendez-vous tant attendu... Heure de vérité. En même temps, cette paix est fragile et extrême. J'y suis, j'existe et je connais aussi d'autres bonheurs possibles, comme ceux que d'autres vivent ailleurs au même instant.

De retour à la maison, je téléphone à ma mère, lui confirmant qu'il était préférable pour elle d'être restée à la maison. On en parle dans les médias.

— Maman, tu n'aurais pas aimé entendre ce qui s'est dit là-bas !

Les semaines suivantes ont été marquées par de larges bouleversements, même si au travail je suis bien occupée.

Tout d'abord, j'ai été envahie d'émotions. Correction : je me suis laissé envahir par un éventail d'émotions. Puis, je me suis laissé aller à ma rage, en pensée, à mon corps et à mon cœur défendants, tentant de se cicatriser à nouveau. Soudain gagnée par une agressivité spontanée, se transformant peu à peu en rage profonde, j'ai la ferme intention de régler ces manifestations que je juge insupportables. Je me couche vite au sol, me roule d'un côté puis de l'autre, les bras croisés sur ma poitrine, puis... je termine en me berçant, en pleurs, me déchargeant de tout ce lot de tension. Comment tomber plus bas ?

La tempête a passé.

Quand j'ai le bouillon qui veut sortir à nouveau, je suis assez vive à retrouver mon équilibre, vite, …de la glace, s'il vous plaît, sur mon visage …pour apaiser l'intensité, car j'ai déjà connu les dégâts causés par le dépassement et l'exagération !

Le système judiciaire, la procédure, la Loi, c'est bien beau… mais moi, la mère de Joleil, je me pose une question : qui s'occupe avec respect de ce qui est arrivé à ma fille ? Je ne dis pas que personne ne s'en occupe ! Je vois plutôt qu'on s'occupe de la sécurité de la population et de l'enfermement d'un récidiviste dangereux après son crime, alors qu'il était déjà bel et bien connu entre les murs. Mais avant ? Qui va réparer et pallier le massacre de ma fille ?

Aussi, pourquoi n'y aurait-il pas une clause de non-publication au procès ? Par respect et pour protéger les restes de son intimité face aux regards pervers d'un certain public, comme il se trouve dans un cas de pédophilie meurtrière !

Juste d'y penser…c'est dur à supporter. Je veux encore la protéger et je me sens tellement inutile. Je veux parler au juge ! Je veux crier mon désarroi le plus atroce !

En suis-je réellement capable ? Est-ce effectivement possible ?

Le procès appartient au public... Oui, mais le public, c'est moi aussi!

...

Ô grand est mon désir de me retrouver recroquevillée sous un baobab en Afrique!

— Je veux disparaître!
— *Oui, mais, qu'est-ce que ça changera réellement dans ce qui se passe dans ta vie? Et, pourquoi disparaître?*

Ma vie en prend tout un coup... J'ai beau savoir gérer, mais à mon agenda, tout tourne autour de ce procès, en plus de ne pas savoir ni quand, ni quoi, ni comment... Ça prend du temps ces procédures! Ça prend mon temps, mes énergies! J'ai l'impression de pédaler à toute vitesse alors que le décor devant moi ne se déplace qu'au ralenti.

Moment présent, Donna! Moment présent!

Tout allait bien, je travaillais tranquille avant que ne survienne l'arrestation! Et je supporte à peine cette attente qui persiste dans le temps, sachant bien que rien ne changera pour Joleil. Toute cette vie perdue, étalée au grand jour...

Seule, je reste responsable de ma qualité de vie et du temps à combler, comme pour m'adapter à une nouvelle prothèse.
— *Entends-tu ta plainte, Donna?*
— *J'ai des forces, mais en aurai-je longtemps, toujours?*

C'est étonnant, les évènements qui se rejoignent comme en un carrefour… au moment où l'on s'y attend le moins.

Relève-toi, et avance plus haut !

12

LE PROCÈS
28 février 2014

Trois années ont passé depuis l'arrestation. Nous sommes dimanche, le 9 mars 2014. La constitution du jury a débuté il y a deux semaines, je ne m'y suis pas présentée. Puis, à cause de la relâche scolaire, une autre semaine à attendre.

Demain c'est l'ouverture du procès.

Je donne une entrevue à une journaliste ; la seule avant et pendant le procès. Je me sens bien, même si je suis un peu fébrile après tant de démarches pour en être arrivée à ce moment !

Au nom des deux familles et pour notre quiétude, je demande aux journalistes de respecter notre intimité pour que nous puissions vivre les évènements avec le plus de concentration possible. Nous ne ferons pas de commentaires avant la fin du procès.

Jour extraordinaire.
Le lendemain matin, sur l'autoroute, je me retrouve dans la même voie d'accès, à prendre ce même chemin qu'empruntent tant d'autres dans la foulée du quotidien.
Ce moment est tant attendu !

Les membres des deux familles sont là, à patienter devant les portes de la salle d'audience. Les médias sont présents, nous demeurons à l'ombre des objectifs.

À l'ouverture des portes, j'entre. Une dame est assise à la place que j'ai occupée en février 2013, sur le premier banc au centre, à gauche, côté de l'accusé. Je tente gentiment de la lui demander. La dame est surprise, hésite. Sans la supplier, je mentionne :
— Je suis la mère de Joleil.
Elle accepte tout de suite de bonne grâce.

Ça commence ! Préambules : entrée des douze jurés, des deux procureurs de la Couronne et des deux avocats pour la défense, des témoins, des policiers. Ce spectacle ressemble à une première grande mise en scène de théâtre.

Madame la Juge est assez directe, articule bien et se fait entendre sans peine. Ses clarifications dénotent ses qualifications. Une bonne guerre qui s'annonce dans le respect de la préséance ; personne n'a de temps à perdre.

On relate les faits, on valide les identités. Viennent les enquêteurs, la reconstitution de la scène, les tests d'ADN.

Avant de sortir du Palais de justice en fin de journée, nous sommes invités – les membres de la famille – à nous diriger vers une salle. Nous avons le privilège de consulter l'album de photos, celles dont il a été fait mention tout au long de la journée. J'attends mon tour à l'écart, je ne veux pas me faire bousculer, je suis la dernière à y toucher. Comme quand j'ai accouché, j'ai été la dernière à avoir vu mon bébé...

Je regarde les photos une à une, tranquille et seule. C'est alors que j'ai la « chance », après tant d'années, de voir les images du coude de ma fille qui dépasse de l'eau boueuse. Ensuite, un peu plus de son bras sortant de la vase, sculpté dans une étendue de boue, celle d'un ruisseau vidé de son eau, puis le début de la forme de son corps, presque en entier. Je distingue très bien l'endroit où a été déposée la roche sur son dos… Graduellement, l'apparence de sa silhouette se devine photo après photo, car elles ont été prises, pour étayer la preuve, à chaque étape du balayage de la vase, jusqu'à… la sortie du corps. Mais ces étapes ont été retirées de l'album.

Je retrouve la forme de son corps que je caresse doucement sur les pages plastifiées, comme pour combler nos solitudes jusqu'à ce que s'entremêlent dans mon esprit les phrases : « *Je suis là !* » et « *Je n'ai pas été là !* ». Dans cette pièce du Palais de justice, après tant d'années, ces images me permettent de vivre un moment saisissant et unique ; telle une joie éternelle mêlée à des sensations de peines innommables. Quel éclat d'éparpillement ! C'est à cet endroit qu'elle se trouvait pendant les recherches, pendant que je pleurais à la maison toutes les larmes de mon corps, inconsolable et désespérée ?

Elle est couchée face contre terre.

Elle ne connaîtra pas l'éveil…

Quelles qu'en soient les raisons, il y a dans le monde du laid, du beau, du sale et de la lâcheté…

Je puise au fond de mon âme tout le chagrin du monde, tout le chagrin des morts d'enfants, à ce jour...

Quand on vit de grandes souffrances, rien d'autre ne peut rééquilibrer la balance, que le poids des joies, une balance maintenue en son centre par le pieu central de l'impératif de la Vie et de la Mort.

C'est très désespérant... cette partie du Tout.

Moi ta mère, Joleil, je te demande pardon pour ce qui t'a été fait... Ce n'est pas humain, même pas animal, car je doute que les animaux posent de tels gestes. Au nom de tous les êtres humains, je te demande pardon, ma fille!

En rentrant seule à la maison, je pleure des heures durant, pour tout laisser sortir.

Les images m'ont rappelé son corps informe lors de l'échographie avant sa naissance, puis là, déjeté en fin de vie, après plusieurs années. Une image de son corps sans grands détails pour débuter et pour finir.

Un morceau du casse-tête reprenait sa place dans l'ombre de nos vies.

...

Des messages auxquels répondre, à faire suivre, des téléphones et des parties de l'entrevue aux nouvelles à écouter, je suis très satisfaite de sentir de la tendresse dans les montages de l'entrevue. Je remercie sincèrement toutes ces gentilles personnes de la télévision dont la sensibilité a permis de laisser une belle image de ce qu'a été la vie de Joleil.

Les larmes aux yeux, je vais m'étendre sur mon lit et je m'endors.

Jour deux

Simulation de la noyade avec un mannequin de synthèse. Encore d'autres scènes horribles en vidéo où l'on voit un plongeur mettre le corps à l'eau, grimper sur le mannequin, sauter dessus pour le faire caler, puis le relancer sur le bord en conclusion. Je sais, ce n'est que de la matière sans vie, que de l'énergie matérialisée... pour démontrer la façon dont un arrêt de vie a possiblement eu lieu.

...

L'enquêteur principal attitré au dossier à l'époque ainsi que d'autres témoins sont venus témoigner des faits et des circonstances pour valider les preuves d'analyses d'ADN, les preuves techniques, et cetera.

À la grandeur du Canada, une équipe d'enquêteurs spécialisés ont œuvré dans quarante-cinq scénarios ayant pour but d'amener un suspect à intégrer un groupe criminel pour ensuite lui soutirer des aveux sur un crime qu'il aurait commis. Dieu qu'ils ont attaché de l'importance à ce récidiviste notoire pour arriver à le capturer afin de protéger la population ! Que dire du travail de ces hommes ? On savait pourtant qu'en laissant sortir des crapules, la sécurité des citoyens était compromise. Tout le mal qui leur a été permis de faire... a bel et bien été fait... Quelle désolation que notre pouvoir ! Qui donc tire ces ficelles ?

Un témoignage émouvant est également entendu par un codétenu qui aurait séjourné dans la même unité que Daudelin durant ses dernières années derrière les barreaux. Il est venu témoigner des aveux que lui aurait faits celui-ci. Il a révélé, selon le procureur, des informations que lui seul pouvait connaître au sujet de la scène du crime.

Ce qui m'a le plus surprise chez cet homme est l'empathie qu'il a manifestée à l'égard de ma fille. Le type a prononcé le nom de Joleil avec tant de conviction! Ça m'a touchée. Au nom de tous les détenus et prisonniers du Québec et du Canada, celui-ci a mentionné à plusieurs reprises que ce qui s'était produit, ça ne passait pas. «On ne fait pas de mal à un enfant!» J'ajoute à cela: ni à aucun autre individu d'ailleurs. Mais ça arrive et cela se fait encore à trop grande échelle selon moi.

Cet homme s'est fait le défenseur et le gardien de la foi de sa propre enfance et de celle des membres de la grande fraternité carcérale. Il sait de quoi il parle, ça se sent …sans aucun doute. Mais, je peux me tromper, un peu.

Je suis si fatiguée! Je ne me sens pas la force de conduire ma voiture, au point de demander un transport pour l'aller-retour au Palais de justice le troisième jour. Je reçois un appel de ma nièce qui s'invite chez moi, elle veut m'accompagner durant les évènements. Ça tombe à point! Il y a tant d'années qu'on s'est vues! Nous sommes heureuses de nous retrouver. Je ne sais comment l'accueillir, à moitié présente à moi tout autant que je le suis à elle… Elle travaille avec les personnes âgées, mon attitude ne semble pas la déranger. Elle comprend. Quand même, nous avons des années à nous raconter, ça passe le temps et c'est distrayant. Nous allons magasiner. Je voulais justement y aller, accompagnée! Jamais, je n'aurais songé m'y retrouver avec cette parente qui possède une si belle vitalité! Ça fait du bien! Finalement, pour vendredi, son conjoint nous offre une soirée Spa, mais nous sommes trop fatiguées. Ça prendrait un chauffeur privé, et encore...

Je reçois des messages, des commentaires et des encouragements de tout un chacun; tous très affectueux. Je me repose à même mes engagements ménagers que j'ai du mal à compléter. Je médite, contemple, engourdie, paralysée. Le temps s'étire, moi je reste immobile.

Deuxième semaine

Toutes les procédures sont engagées. Madame la juge tente de faire ça vite et bien. Le jury se comporte comme il se doit. Des gens vont et viennent dans les corridors.

À la fin de la journée, je marche tranquillement dans la maison. Toute la panoplie des émotions et des sentiments refait surface en un seul temps. J'ai l'impression d'être une morte vivante et, en même temps, non! Il y a un an que j'ai appris presque tout le contenu présenté au procès, mais pour beaucoup de gens autour de moi, et pour d'autres, c'est comme si ça venait d'arriver. Je reçois de nombreux messages de sympathie. Je me sens très appuyée. Ça fait du bien! On nous a demandé de garder l'information cachée pour ne pas alerter l'opinion publique et prendre le risque de faire déplacer le procès dans une autre ville ou dans une autre province.

L'attention que je dois porter aux procédures, l'effort pour décoder les non-dits, les sous-entendus m'épuisent. Je ne sais plus où diriger mon esprit à travers les séquences, les informations manquantes auxquelles d'autres s'ajoutent. C'est le jeu de cache-cache, trouve-moi que je te contredise! Bien du remue-méninges au sommet! Novice, je fronce les sourcils, je vis sans cesse le doute et le questionnement: *Ça a du sens?*

Lorsque je prends le temps de me reposer durant le jour, je ne veux plus me réveiller. Je dors profondément sans vouloir sortir de cet apaisement. Je ne sens pas la fatigue physique, sinon que tout va trop vite autour, mais l'émotif et le mental en prennent tout un coup!... Tout passe et repasse plusieurs fois dans ma tête, sous différentes représentations.

Je me demande si je dois accepter ou refuser tout cela. Puis finalement, je comprends la procédure. Ils cherchent la faute, d'une part ou de l'autre. J'apprends des choses qui me surprennent, puis d'autres... du non-sens en évidence, on me demande encore de m'en tenir au silence.

Avec acharnement se termine le dernier tour de piste avant les plaidoyers. Le procureur de la Couronne est d'attaque et joue de la tautologie. Plus d'un tour dans leur sac, ces gros méchants... Du vrai travail de géant!

...

Qui sait à quelle profondeur une peine peut être enfouie dans l'âme? Et qui sait ce que contient la source d'amour tentant de rejaillir de cette profondeur?

Les délibérations

Le lundi qui suit, début de la troisième semaine. Je gage une confection maison d'un pot de betteraves que les délibérations ne dureront pas plus de trois heures. Zut! J'ai perdu!

C'est l'attente.

Nous avons à notre disposition un local où l'on peut déposer nos effets et nous asseoir dans de bons fauteuils rembourrés.

Deuxième journée pleine.

J'ai la chance de rencontrer des gens... des voisins de l'époque, des enfants devenus adultes. Ils ne peuvent me rendre plus heureuse. Des inconnus venus suivre les évènements sur place.

Je ne le vois pas, mais un homme me suit :

— Donna!

— Oui?

— Tu ne me reconnais pas!

— Pas là... Désolée... mais encore!

— Nous avons été à l'école ensemble avec X. Nous étions toujours ensemble.

Ça m'a pris quelques souvenirs pour que je puisse le situer. C'est curieux comme le passé a le don de vous faire de ces clins d'œil et de vous ramener à d'autres dimensions... À d'autres bonheurs! Merci... Je ne me rappelle déjà plus son nom... Ouch! Claude, je crois...

Une jeune femme est venue me remettre une lettre. Il s'agit d'une jeune femme de vingt-huit ans aujourd'hui. Elle avait le même âge que Joleil à l'époque.

Quelle attitude!

Lorsque Joleil est disparue et a été retrouvée, je ne pouvais imaginer l'ampleur des dégâts que cela avait pu occasionner dans le cœur des citoyens de la province, en fait pour ceux qui suivaient les évènements de près. Je reçois ~~reçu~~ un témoignage de l'impact de la situation après tout ce temps.

Sur l'enveloppe, il est écrit : « Aux parents de Joleil ».

Voici l'intégrale de son texte daté du lundi, 24 mars 2014 :

Bonjour, M. Campeau, Mme Senécal,

Je m'appelle M. Je suis native de St-Jérôme et j'habite à Laval depuis 2006. J'ai 28 ans. En 1995, j'avais 9 ans, comme Joleil.

Je n'oublierai jamais cette journée de juin. Je revenais de l'école et à la maison se trouvait mon père, assis à la table, silencieux. Il tenait dans ses mains une affiche qu'il regardait avec désolation. Il y avait une photo sur cette affiche qui m'a tout de suite intriguée. C'était la photo de Joleil.

« C'est qui ça ? » que j'ai demandé. Voilà ce qu'il m'a dit : « C'est une petite fille de 9 ans, comme toi. Elle est disparue et la police est à sa recherche. Il y a une méchante personne qui a dû l'enlever pour lui faire du mal, et elle est probablement morte. Tu vois M, tu dois toujours te méfier. Ne jamais parler aux étrangers… » C'était si difficile à croire. Je venais à peine de cesser de croire au père Noël et voilà que j'apprenais combien le mal existait, ainsi que la définition de la pédophilie.

Mon père était un technicien de Bell Canada. L'équipe de travail avait fait plusieurs copies dans le but de les coller sur leur camion. J'ai tenu à en coller une moi-même. Ce que j'ai fait avec intensité. Ce geste était significatif pour moi, car je ressentais le besoin de faire quelque chose pour Joleil. À ma demande, mon père m'a également donné une de ces affiches que j'ai collée dans ma chambre sur mon miroir. Je l'ai gardée très longtemps. Cette photo m'était précieuse.

En regardant les nouvelles quelques jours plus tard, j'ai pleuré. J'avais 9 ans et je pense que pour la première fois de ma vie, j'ai eu envie de tuer. J'ai eu envie de me venger, de venger Joleil. J'ai fait connaissance avec le vrai sentiment d'impuissance. Pendant longtemps, je me suis endormie le soir en me demandant quel supplice, quelle torture, serait la plus douloureuse à infliger à un être humain si j'avais la chance de tuer Éric Daudelin dont j'ignorais le nom à l'époque.

Le visage de Joleil est resté gravé dans ma mémoire. Je n'ai jamais oublié son nom. La vie a continué et peu à peu, j'y pensais de moins en moins. Mais je n'ai jamais oublié. Quand sont survenues les histoires de Julie Surprenant, Jolène Riendeau et Cédrika Provencher, j'ai été à nouveau frappée par la colère. Et chaque fois, l'histoire de Joleil revenait habiter mes pensées avec autant d'intensité qu'au premier jour. Les enfants assassinés me touchent tous beaucoup. Mais Joleil, c'est spécial pour moi.

Quand j'ai appris que le meurtrier avait été arrêté, mon cœur a fait cent tours. Apprendre cette nouvelle est une des plus grandes satisfactions que j'aie éprouvées dans ma vie jusqu'à présent. Je vous semble peut-être un peu étrange étant donné que je ne connaissais pas Joleil, mais svp, croyez-moi. La mort de Joleil m'a fait vivre pour la première fois les sentiments les plus violents et les plus désagréables. C'est probablement pourquoi votre fille est si particulière. Il est vrai que je suis une personne sensible, mais également équilibrée.

J'ai assisté au procès à deux reprises. J'y tenais. Je voulais le voir. Mettre un visage sur celui que j'ai tant rêvé de torturer à mort. J'avais envie de venir vous parler un court instant, mais j'étais gênée. Je me suis dit que vous aviez probablement reçu des centaines de témoignages de la part d'étrangers et que, par conséquent, vous aviez peut-être envie qu'on vous laisse tranquille. Mais je tenais quand même à partager mes sentiments avec vous. C'est pourquoi je vous écris cette lettre que je vous remettrai demain, suite au verdict qui sera assurément «Coupable». D'ailleurs, je vous remercie d'avance de m'avoir lue. Assister ne serait-ce que brièvement à ce procès et vous avoir transmis mes pensées par l'entremise de cette lettre sont en quelque sorte deux étapes qui font partie de mon processus de deuil. Un deuil si, si petit comparé au vôtre.

En terminant, je vous transmets sur le tard mes plus sincères sympathies en vous souhaitant tout le bonheur et toute la sérénité que vous méritez pour l'avenir.

Continuez «d'aimer votre vie» comme vous le dites si bien, madame Senécal. C'est tout à votre honneur et c'est pourquoi vous avez tout mon respect.

Je n'oublierai jamais Joleil ainsi que son histoire d'une tristesse infinie. Une photo d'elle découpée dans le journal me suit partout où je vais, dans mon portefeuille. C'est mon porte-bonheur.

Bonne vie heureuse. Tous les ans, les 12 juin et 25 mars, j'aurai une petite pensée spéciale pour vous.

De tout cœur,

XXX

Comment ne pas passer de commentaires sur ce témoignage? J'étais effrayée à l'époque, rien qu'à imaginer l'ampleur du désastre dans les cœurs des élèves de l'école, de la population, et ses conséquences funestes sur le regard d'un enfant prenant lourdement conscience d'une réalité aussi atroce.

Voilà une preuve concrète que le mal s'étale comme des ronds dans l'eau.

Désolée un peu plus ? Non !

Je n'existe déjà plus !

Trop, c'est trop !

Au cours des deux dernières journées, j'ai rencontré une dame accompagnant la meilleure amie de Joleil et sa mère. Cette dame connaissait bien Joleil puisqu'elles se voyaient régulièrement à l'école. Beaucoup de choses à raconter, cette dame. Moi, je voulais tout savoir, tout noter. Il faut qu'on se rencontre pour se relater toutes ces anecdotes, j'ai besoin de nouveaux souvenirs et je veux les écrire. Lors de la disparition de Joleil, cette dame n'a pas trouvé agréable d'avoir la tâche d'ouvrir l'école et d'annoncer la malheureuse nouvelle aux professeurs, à ceux qui l'ignoraient encore. Elle a subi l'interrogation des enquêteurs durant toute une journée, étant la dernière à avoir vu ma fille avant qu'elle ne quitte l'école en autobus le lundi de sa disparition.

Elle était curieuse et surprise de constater à quel point Joleil avait le sens de la communication. « Elle parlait comme une adulte. » Elle lui avait laissé un message ce dernier jour, un message d'espérance : « Tout va bien aller pour ton bébé ! » lui avait-elle laissé entendre, la main posée sur son ventre après être allée lui chercher une chaise pour qu'elle puisse se reposer. Ma fille avait ce sentiment maternel… C'était assez rassurant pour moi, sa mère, dix-neuf ans après son décès, d'apprendre et de réaliser lors d'un témoignage que ma fille avait laissé de telles traces de son passage parmi nous.

Deux dames sont venues me rencontrer à la sortie de la salle d'audience un après-midi et elles m'ont laissé entendre qu'elles connaissaient certains membres de la famille d'Éric Daudelin.

La vie familiale de sa mère, selon cette dame, n'aurait pas été facile avec son conjoint et son unique enfant.

L'été d'avant, une autre dame m'avait confié qu'au secondaire, sa fille fréquentait la même école que Daudelin. Celle-ci aurait confirmé qu'il se faisait intimider par toute l'école. Je reprends les paroles que j'ai entendues. Est-ce possible que l'intimidation puisse arrive à désaxer à ce point un esprit, et qu'un individu en vienne à vivre pour faire encore plus de tort et de mal ? Quand la réponse est dans la question… il n'y a rien à ajouter.

J'ai également reçu un message d'une jeune fille prénommée Joleil. J'avais tenté de laisser un message à quelques Joleil sur des réseaux sociaux pour vérifier avec elles, si le nom de Joleil dans l'actualité dérangeait un peu leur vie. Je leur demandais pardon. L'une d'elles m'a répondu. « Ah ! C'est à cause de votre fille que je porte ce nom ! Non, je n'ai jamais eu de problèmes, au contraire ! J'ai toujours eu de très beaux commentaires sur mon nom. Ne vous inquiétez pas. »

Je lui ai quand même demandé de valider l'origine de ce choix auprès de ses parents.

Trois jours de délibération.

D'après moi, ils procèdent avec précaution. Ils peuvent, au besoin, poser des questions à la juge et revoir tout le contenu du procès. Ainsi, j'ose espérer qu'ils vivront en paix avec la décision qu'ils prendront.

Finalement, vers 15 h 30, j'informe les gens autour de moi que je vais aller faire une sieste dans ma voiture.

— Veux-tu que je t'appelle ?

— Non, je peux me réveiller après vingt minutes. Mais si ça dépasse trente minutes, bien là… oui, tu m'appelles.

Je sors ma voiture du stationnement souterrain et me dirige à l'extrémité du stationnement extérieur. Je laisse la vitre un peu ouverte, j'abaisse mon siège et garde le moteur en marche. Mon capuchon m'abrite les yeux de la clarté.

Je suis assise, bien calée au fond de mon siège. Je sens tout le poids de ces derniers jours s'effondrer à même la détente qui s'installe dans l'enveloppe douillette de mon manteau. Sous les rayons du jour, je me laisse aller et laisse tout passer, n'accordant aucune importance aux pensées que je laisse se dissiper comme les nuages du temps.

La sonnerie de mon cellulaire se fait entendre.

— Viens vite ! On rentre tous dans la salle !

— J'arrive !

J'active le moteur qui est déjà en marche. Erreur ! *Réveille-toi, Donna…* Je rentre me stationner et je prends l'ascenseur pour le premier étage. Quel moment ! « *Qué será, será…* » Je me ferai une idée quand viendra le temps.

Silence. Il n'y a plus personne dans les corridors lorsque les portes de l'ascenseur s'ouvrent. La salle d'audience est bondée. Mais d'où viennent ces gens ? Ma place est réservée. J'y dépose mon manteau ; j'observe tout autour, j'ai du temps pour aller me rafraîchir. Si c'est l'annonce du verdict, je serai probablement appelée. En revenant, je prends le temps d'aviser le père de

Joleil de ne pas faire d'esclandre avant la fin, car je veux profiter de tous les moments. Il acquiesce. Les gardes de sécurité sont présents, nombreux et actifs. Puis, l'un d'eux souligne haut et fort l'importance de conserver un climat de respect pour le décorum ; aucun désordre ne sera toléré.

L'avocat de la défense arrive enfin, il ne manquait que lui. Madame la juge entre et fait entrer le jury. Nous sommes tous debout. C'est le silence complet.

Un message est rendu à l'honorable juge. Elle ouvre l'enveloppe, y lit l'information, puis s'adresse au jury :
— Monsieur le Président, vous avez une annonce à nous faire !
— Oui, votre honneur !
— Le jury est-il arrivé à une entente ?
— Oui, votre honneur !
— D'accord ! Nous allons procéder au verdict. Éric Daudelin, levez-vous ! Quel est le verdict du jury pour Éric Daudelin ici présent, relativement à l'accusation de meurtre prémédité de Joleil Campeau, le 12 juin 1995 ?

— Coupable !

— Quel est le verdict pour Éric Daudelin ici présent, relativement à l'accusation qui pèse contre lui pour agression sexuelle sur Joleil Campeau, à pareille date ?

— Coupable !

— Quel est le verdict pour Éric Daudelin ici présent, relativement à l'accusation de séquestration de la personne de Joleil Campeau ?

— Coupable !

Il est 16 h 22, je reste impassible. Ça y est ! C'est officiel, la cour a rendu son verdict pour le meurtre de ma fille. Éric Daudelin est reconnu coupable des trois chefs d'accusation. La bascule vient de reprendre son équilibre. Nous gardons le silence. Instant de paralysie générale devant les faits.

C'est le dénouement et j'ai une dernière tâche à accomplir.

Madame la juge demande s'il y a des recommandations à entendre de la part des avocats. Le procureur confirme qu'ils n'ont rien à ajouter personnellement. Alors, j'entends :

— La mère de Joleil désire s'exprimer devant la cour.

C'est accepté. Je suis demandée à la barre.

— Madame Senécal ! Veuillez vous avancer.

Je me lève, sors mes notes de mon sac à main et je me dirige vers l'avant d'un pas assuré. À peine les premiers mots sortis de ma bouche, je suis surprise de la sensibilité du système de son. Je n'ai pas à me rapprocher du microphone qui se trouve à une assez bonne distance de ma portée. Je commence mes remerciements et je balbutie un peu. Je veux faire une blague en changeant le nom des enquêteurs, comme ils l'ont fait pour les agents d'infiltration. C'est ma façon, à la blague je le répète, d'insister sur leur identification ; en quelque sorte, je craignais les erreurs... L'incompréhension a vite pris place. J'insiste parce que, tout au long des trois dernières années, la présence des enquêteurs et policiers a été remarquable et infiniment sécurisante. Ce fut grandement apprécié.

Voici ce qui a été livré lors de ce message :

— Je suis épileptique contrôlée depuis quarante ans. Il n'a pas toujours été facile de conjuguer la médication en raison des évènements survenus depuis dix-neuf ans. Je me dirige aussi vers ma dernière crise d'hormones et pour ceux qui comprennent, c'est aujourd'hui que je vis, entre autres, les propos sur la ménopause des monologues de Clémence Desrochers à l'époque de son spectacle : *J'ai show !*

Madame la juge me regarde en voulant bien me voir venir au fait.

— Vous comprendrez que ces dernières années n'ont pas été faciles...

Je me retourne vers l'accusé. Il est surpris et relève la tête.

— Éric, lors de ton arrestation, je me suis souciée de toi avant même de me soucier de moi-même. C'est alors que j'ai réalisé que j'avais besoin d'aide.

Je me retourne devant la juge.

— Tout d'abord, je veux remercier ma famille, mon père et ma mère, pour la force qu'ils m'ont transmise et qui m'a permis de me rendre ici aujourd'hui.

Au même moment, je me penche du côté droit et je montre de la main le chemin parcouru, derrière mes pieds posés sur le tapis rouge.

— Je n'ai jamais voulu être considérée comme une victime… car selon certains médias, les victimes n'ont pas d'avenir… Considérez par contre qu'arracher un enfant à sa mère, c'est la démembrer autant de la vie que de son corps… Tout le monde aime parler de ses enfants… J'ai dû alors réinventer le mot «survivance». Madame la juge, je tiens à remercier tout d'abord les policiers et les enquêteurs pour leur discrétion, leur rigueur et leur droiture. Je remercie également les membres du jury ainsi que vous, Madame, et vos assistants, pour des raisons d'éthique visibles. Vous avez pris grand soin de faire valoir, avec discernement, tous les éléments du droit au moindre besoin. Je veux aussi remercier mes amis et leurs familles, les absents sont aussi très importants… pour leur amour, leur accompagnement et leur soutien. Voici les faits et conséquences, ma fille Joleil Campeau a été portée disparue le 12 juin 1995, le lendemain de mon anniversaire de naissance, causant des sévices graves qui ont persisté dans le temps.

À chaque occasion, je me suis permis de regarder Éric Daudelin sans gêne.

— Dans un de ses témoignages, il avait dit connaître très bien l'endroit où nous habitions.

Sur ce, il a baissé les yeux, semblant comprendre.

— Tout d'abord, nous vivions heureux, comme monsieur et madame tout le monde, dans la maison que nous avions fait construire. Le chalet qui existait à l'époque de l'enfance d'Éric a été démoli par la suite. Quand Joleil est partie, j'ai entendu ses pas montant le long de l'escalier menant à l'arrière de la maison. Elle devait longer la clôture, ses amis devaient venir la chercher, c'était notre entente. Durant ce temps, je transplantais des fleurs sur la platebande en avant de la maison. J'étais heureuse... Nous avions fêté durant la fin de semaine, Joleil avait passé ses examens du ministère... et moi, comme je viens de le mentionner, j'imaginais le temps présent, comme les fleurs que je transplantais, pareil à des bougies illuminant tout l'été sur un gros gâteau au chocolat, grand comme la terre recouvert d'un glaçage vert gazon. Au même moment, l'horreur faisait son œuvre. Après avoir appelé Joleil qui ne répondait pas, j'ai vécu l'inquiétude, l'incompréhension des évènements, le stress et l'ambivalence... envers la présence policière constante et en tous lieux autour de nous et durant plusieurs mois. J'ai été suspectée, interrogée. J'ai dû passer au détecteur de mensonges. C'était la procédure. Je comprenais, car j'étais la dernière à avoir vu Joleil. Nous avons vécu l'attente durant les recherches. Tout le monde devenait suspect, même mon conjoint... Vous pouvez imaginer le trouble causé par l'annonce de la disparition de ma fille à son école, où j'étais impliquée comme parent co-éducateur. Le choc post-traumatique, je tremblais par en dedans et, à l'époque, je ne savais pas ce que je vivais. Le tournoiement des : « Ça ne se peut pas ! », suivi des... « Ça se peut ! » L'angoisse dans les demandes d'aide de bénévoles, et ... le choc de retrouver ma fille décédée et d'en être soulagée ! ... La fin des recherches, le manque d'information des enquêteurs, le désir de m'impliquer dans l'enquête, même me sachant suspectée… « La personne qui a fait cela ne peut pas être normale ! » L'enterrement. L'isolement. Nous étions si troublés, qu'il n'y eut aucune organisation pour une rencontre familiale après les funérailles. Trop épuisés, fatigués, dégoûtés, nous avions à vivre les étapes du deuil d'une jeune enfant, d'un deuil difficile, compliqué, traumatique et criminel. Je ne pouvais pas me situer dans un groupe d'entraide… L'absence d'aide psychologique de l'IVAC qui ne me reconnaissait pas, encore aujourd'hui, comme victime… À quoi sert l'IVAC si les victimes sont décédées ? La souffrance de mon entourage, les voisins… J'ai poursuivi mon travail, les comptes continuaient de rentrer et je ne connaissais pas l'existence de l'assurance-chômage maladie… Ensuite : Au bout de cinq ans, la séparation, la dépression, la prise de médicaments… Incapable de concevoir un autre enfant, je les perdais tous un à un. Moi qui avais tellement appris et profité des bonheurs de l'éducation de ma fille, je ne pouvais abdiquer et en rester là ! J'ai entrepris une formation comme éducatrice en service de garde. Dix ans de silence sur ma condition de mère qui n'avait plus son enfant. Je voulais être reconnue comme éducatrice avant d'être reconnue comme mère déchue… J'acceptais donc intentionnellement des postes de remplacement, pour ne pas avoir à me faire connaître, priorité oblige. Pendant plusieurs années, j'ai travaillé avec des jeunes de zéro à douze ans et j'ai passionnément aimé mon travail. Les enfants m'ont bien rendu les plaisirs de la vie qui m'ont manqués avec ma fille. Après dix ans, sortir de l'anonymat ne m'a pas mieux servie, tant ma sensibilité à l'environnement n'avait rien d'égal à ce que je pouvais vivre intérieurement. Ce n'est pas que je ne voulais pas en parler, j'aurais bien aimé en parler à la Terre entière ! Je voulais contrer les réactions autour de moi… Qui n'aime pas parler de ses enfants ? Le 22 juin 2011, deux agents de police arrivent chez moi autour de 22 h et m'annoncent qu'ils ont arrêté Éric Daudelin pour le meurtre de ma fille. Autre coup dur ! Au lieu d'être contente, je me souciais de ce qui allait m'arriver. Je savais qu'il y aurait d'autres… problèmes… à venir… Médiatisation de la nouvelle, les étapes du procès reportées sur trente-deux mois, la reviviscence d'un deuil traumatique. Des problèmes au travail, deux pertes d'emploi à cause d'un trouble d'adaptation. De l'insomnie, du stress, des tremblements, de l'hypertension, des cauchemars, des pleurs, un si grand sentiment d'impuissance, de la colère, de l'angoisse, du doute, de l'impatience, la perte de contrôle sur ma vie, de l'insécurité, les états dépressifs, les maux de tête, problèmes de digestion, baisse d'énergie, difficulté à me concentrer, manque d'attention, hyperactivité, impulsivité, problèmes d'image de soi, schéma envahissant associé à la perte, etc. L'impression que personne, aucun organisme, aucun appui gouvernemental ou autre ne puisse quoi que ce soit pour moi. Des demandes d'aide et autant de refus. Problèmes de chômage sans soutien moral, sans soutien pendant plusieurs mois, plusieurs fois… J'ai appris, par hasard, que je pouvais avoir droit à plus de dix rencontres avec une psychologue du CLSC. J'ai alors fait une demande. Par la suite, dernièrement, l'AFPAD a pris la relève pour une série de rencontres pour faire suite au procès.

En regardant Éric Daudelin dans les yeux, j'affirme :

— Je dois prendre soin de moi, moi-même !

Il a baissé les yeux, hoché la tête.

— En thérapie, cette situation des derniers mois s'est avérée constamment limitante et frustrante, entraînant la dégradation de ma condition tout en luttant contre l'apitoiement, dans un état difficile à rétablir après tant d'années. Jusqu'à tout dernièrement, à la suite d'une médication adaptée avec un nouveau médecin, je vais mieux.

Puis, je me retourne complètement et je le regarde, en voulant fixer tout ce que j'avais à prononcer entre nos quatre yeux.

— Éric, je veux te parler depuis ton arrestation...

Il s'est penché, a déposé ses coudes sur ses genoux, l'air presque intéressé.

— Une personne normale ne peut séquestrer, agresser, retenir de force quelqu'un contre son gré, l'étrangler - parce que j'ai vu les marques autour de son cou lors de ma visite à la morgue. La blesser et l'enfouir sous la vase dans un ruisseau; la noyer. SURTOUT! Faire ça à un enfant qui ne t'a rien fait...! Comme ma fille Joleil! J'en ai conclu alors qu'il y a au moins deux normalités. La tienne, parce que tu as réussi à vivre avec tes actes crapuleux pendant seize ans, avant qu'il ne te soit interdit de recommencer... Et la mienne, ma normalité, celle qui ne ressemble en rien à la tienne parce que moi, je serais incapable de tuer un enfant, encore moins de survivre à cela. Je suis une éducatrice, j'aime les enfants et j'aime les mener à grandir, autant de l'intérieur comme dans l'estime de soi, la fierté, la confiance, que de l'extérieur pour réaliser leur potentiel de forces dans les défis et les découvertes... Éric, ce que je te demande depuis longtemps, c'est ce que je me demande à moi également.

Et là, je pèse mes mots.

— Fais tout ton temps! En sécurité et pour toi et pour les autres. Je fais, moi aussi, mon temps! Répare-toi si tu le veux! Moi, je me répare... Répare ta vie si tu le peux! Moi aussi, je répare ma vie de mon mieux... Je ne réussis pas toujours par moi-même, mais mes intentions sont les plus pures et les plus saines. Aussi, je te remets la violence et la haine qui t'ont appartenu - et qui t'appartiennent peut-être encore - quand tu as pris la décision d'enlever la vie de ma fille, en me privant de ma vie avec elle.

Puis, je me retourne vers la juge.

— Avant de terminer, j'invite les détenus de tous les pénitenciers du pays, de permettre à Éric Daudelin de faire son temps de détention jusqu'au bout. Le lui refuser l'empêcherait d'utiliser ce temps pour se donner une nouvelle reconnaissance de la vie. J'ai déjà pensé au suicide tant la fatigue était au rendez-vous. Ce qui m'a fait changer d'idée a été de me poser la question suivante: «*Puis, que vas-tu faire rendue en haut?*» J'ai imaginé que j'aurais à continuer à partir d'où j'étais rendue en bas. Tant qu'à continuer dans de pareilles circonstances, comme dirait le titre d'un certain film[25]: *Quand faut y aller, faut y aller!*

Et je termine, en le regardant, avec des mots que je n'avais pas prévus.

— Éric, sache qu'aussi longtemps que je vivrai, tu auras toujours une place dans mon cœur pour que tu puisses, un jour, trouver la lumière dans ta vie. Je vous remercie, Madame la juge, de m'avoir permis de m'exprimer.

---

25   Avec Terence Hill et Bud Spencer, 1983.

Soulagement pourrait être le terme précis quant aux sentiments de l'ensemble du groupe. J'ai rendez-vous avec les journalistes et j'avance vers eux, le sourire… mouillé.

Nous avons célébré ensuite le bon déroulement du procès et sa fin même si, depuis trois ans, je savais que nous devrions garder nos doigts croisés jusqu'à trente jours après la sentence, puisque l'accusé a ce sursis pour en appeler du verdict ou de la sentence.

Plus tard, j'ai parlé avec ma mère au téléphone, elle pleurait. Elle était désolée que la famille ne soit pas toute réunie pour un aussi grand évènement. Je lui ai répondu que nous étions réunis de cœur et de sang et qu'elle n'avait pas à s'en faire.

Ce soir-là, devant mon assiette, assise à la table, regardant en avant, je me rends compte qu'il manque quelque chose devant moi. Il y a comme un dégagement dans l'espace. Je ne sens plus le fardeau qu'il y avait jadis. Je l'ai cherché, tâchant de le repérer à gauche ou à droite pour me confirmer sa persistance dans ce temps d'arrêt. Je me rends compte que cette masse d'énergie est possiblement rendue derrière moi. Je me suis retournée et j'ai senti une intensité derrière mon dos, alors que devant moi l'espace était désormais dégagé d'un certain encombrement.

Je me retrouve face à un nouveau plateau de vie, sur une nouvelle case départ. Je ne suis pas prête encore à y déposer le pied. Je constate le cheminement, en moi, celui laissé derrière et celui droit devant à entreprendre, comme dans un nouveau lien de conscience capable de faire arriver les choses, en communion de pensées avec ceux qui m'entourent.

Mais cette communion de pensées se veut d'abord avec moi-même. Suis-je en accord avec ce que j'ai et avec ce que je veux ? De corps, de cœur et d'esprit ?

Sur ma planche de surf, encore sous les effets de l'adrénaline en dissolution active, prête à quitter la vague, j'arrive au bord du rivage. Je récupère toutes les données cellulaires en position de victoire comme dans un certain triomphe.

13

LES DOIGTS CROISÉS

Durant le procès, à maintes reprises, j'ai demandé de voir les vêtements de ma fille et de revoir les photos. Je demande aussi la permission d'aller sur les lieux du crime avec les enquêteurs quand tout sera fini pour me faire expliquer le déroulement et voir l'endroit exact où la scène a eu lieu. L'enquêteur-chef m'a fait savoir qu'il n'y aurait pas de problème. Le procureur, lui, me dit qu'il n'en sera pas question et que le tout se retrouvera sous scellé dans une voûte pour les quarante prochaines années. Encore des embûches! D'autant plus que, lors du procès, des questions étaient restées sans réponse, car on m'a alors demandé de ne pas parler, de faire confiance et de ne pas déranger le déroulement de celui-ci.

J'attends, patiente, les bras et les doigts croisés... Éric Daudelin a trente jours pour en appeler du verdict et de la sentence.

Je rédige mes remerciements aux principaux – et respectueux – journalistes qui nous ont accompagnés tout au long des semaines.

Je fais de longues randonnées pédestres dans les espaces champêtres en dégel près de chez moi et je me repose, les yeux grands ouverts, malgré la fatigue.

Je reçois des appels téléphoniques pour passer des entrevues à la radio et à la télévision, entre autres à l'émission de Denis Lévesque. Depuis tant d'années que je me vois là, possiblement, enfin, peut-être ! Finalement, ça y est ! Accueil, maquillage, coiffure... Tout se déroule tellement vite ! Denis commence l'entrevue avec le message que j'ai lu au procès à la suite du verdict, en appuyant sur les effets du choc post-traumatique. Moi, qui espérais aborder le sujet sur la façon dont je suis parvenue à affronter le parcours de la traversée ! Déception.

Je reçois des messages d'encouragement, de la gratitude et des remerciements. Lorsque je reçois ces compliments, j'en profite pour répliquer avec un clin d'œil : « Je vais le dire à ma mère ! C'est elle qui m'a fabriquée. Il y a beaucoup de ce que je suis qui vient d'elle, de mon père, de ma parenté et de mes ancêtres...» En fait, c'est sans doute pour dissimuler ma timidité devant ces honneurs que je m'engage à les leur attribuer.

...

Je suis passée sur l'autre rive, voire dans un autre monde avec une nouvelle carte routière en main qui s'imprime à chaque instant de la journée...

Je dois me recentrer pour poursuivre l'écriture de ce livre, mais le spectre me semble si large, si diffus et complexe, je ne prends que des notes... Je suis fatiguée...

J'utilise ce temps pour me donner du lest et me soustraire au stress accumulé, me vider la tête de tous soucis pour enfin conserver de l'énergie et ressentir plus profondément la joie nouvelle. Entre-temps, j'essaie de me distraire... avec peu de moyens.

On m'approche pour la production d'un documentaire... les trente jours ne sont pas écoulés. Vous rappellerez.

Pour parler de mes amitiés sincères, certaines militent pour la peine capitale. À l'opposé de ces convictions, je suis mise hors jeu, car je ne partage pas leur point de vue.

En fait, je me le fais reprocher :

– Donna, ce que tu dis fait en sorte que les gens vont s'éloigner de toi.

Je comprends, mais je n'ai jamais accepté et n'accepterai en aucun cas de répondre à la violence par la violence. Je suis éducatrice... Et à ceux à qui le message s'adresse, le voici :

– Cessons de reproduire le passé ! Nous ne devrions plus, comme il y a plus de quatre mille ans, nous rentrer dedans et appliquer la loi du Talion « œil pour œil, dent pour dent », à égaler le crime et la peine. Nous sommes en 2014. Nous devons agir en êtres de relations. Nous nous devons de recréer la vie à travers les épreuves et les défis de l'existence. Le règne animal a tendance à régler ses comptes en luttant, tandis que le genre humain prédomine avec sa raison, sa capacité à résoudre ensemble les problèmes qui se présentent à lui.

Ça ne plaît pas… Grincements de dents compris…

Oui, je suis pour la mise à mort, de cette mort qui fait en sorte que nos morts nous laissent pour morts. Je suis loin de plaire avec ces propos et avec le cas de Daudelin, je le suis encore bien moins !

Je me sens glisser sur de la vase.

Mon travail à temps partiel reprend en octobre prochain. Depuis octobre 2013, je suis aidante aux devoirs et leçons, quelques heures par semaine dans deux écoles primaires à Montréal. Nous sommes rendus à la fin de l'année scolaire et je quitte ces jeunes avec l'impression d'avoir accompli ma mission ! Plusieurs d'entre eux ont retenu sous ma tutelle que l'effort coûte, mais que la récompense de l'effort est une confiance en eux-mêmes augmentée face aux défis de l'apprentissage. Dans la correction des erreurs de pensées, tout est question de technique. Je suis heureuse ! Accompagner des enfants dans leur cheminement de croissance est pour moi un bonheur entier, même si je suis une aidante stricte, n'ayant pour but que l'accès aux plaisirs de la réussite.

Y reviendrai-je ? Aucune idée ! Quelques heures par semaine, deux rivières à traverser en voiture… La satisfaction d'avoir fait un bon boulot sans trop de tracas n'a pas de prix, mais ce salaire n'est pas suffisant, je n'arrive pas à subvenir à mes besoins. Je puise donc dans mes économies.

Ces jeunes ont appris à :
– Gérer leur agenda ;
– Gérer leur stress et leurs émotions ;

– Faire leurs devoirs et études au bon moment, sans grand besoin d'être accompagnés de leurs parents ;
– Ne jamais abandonner ;
– Se concentrer ;
– Mieux écouter durant les périodes en classe ;
– Relire les questions, s'en remettre aux explications ;
– Aimer apprendre et poser des questions ;
– Ressentir de la fierté à la suite de leurs efforts et résultats.

Notre peuple a besoin de ressources compétentes et, quand on sait que plusieurs adultes offrent des jouets et bonbons en guise d'émulation, on comprend comment se crée le vide intérieur chez un individu en croissance...

...

Tout ça pour me retrouver à utiliser mes économies, au mépris de mon avenir, pour me maintenir dans l'immédiat.

Et si mon type de personnalité était de ceux qui doivent se rendre au fond des choses pour mieux remonter. Je comprends ceux qui ont du mal à me comprendre. Mais, sans risque, il y va de l'évolution.

En pleine lecture, difficile, du livre *Tout le monde dehors !*[26], je découvre quantité d'informations au sujet des libérations conditionnelles durant les années 1980 et 1990 au Québec. La présentation de l'enquête nous confronte à une lamentable réalité pessimiste et dégradante, d'autant plus qu'en 2014, les mêmes défis financiers sont encore présents et que les structures judiciaires

26 Par Yves Thériault, producteur, recherchiste, documentariste et journaliste, 2000.

et carcérales demeurent risibles à en faire frémir d'horreur. Moi qui croyais avoir tout vu et entendu en me syntonisant « sur le système » lors du procès de Daudelin ! Mes propos sont durs, je le sais ! Mais ce qui se révèle à moi, à la lecture de cet ouvrage, est que certains individus acceptent de gagner un salaire sans contribuer le moindrement aux besoins de la collectivité. Ils acceptent d'être les complices sans morale, les « travailleurs sans scrupules » d'un système carcéral inefficace. Comment ces individus peuvent-ils vivre avec eux-mêmes ?

Je sais, le système judiciaire est une bonne et belle affaire de gros sous !

Daudelin, en 1995, était reconnu comme récidiviste notoire …une bombe à retardement, tout comme c'était sans doute le cas pour d'autres « évadés » du système.

Je ne veux pas faire d'enquête, je n'en ai pas les moyens intellectuels ou financiers, mais si je fais l'autruche, si je me tais, je deviens complice, directe et indirecte, moi, citoyenne ayant le droit d'être protégée, tout autant que ceux qui m'entourent.

Qui prendra ma défense ? Y a-t-il un avocat suicidaire dans le club des magistrats ? Qui voudra intenter des poursuites contre le Procureur général du Canada en mon nom et au nom de tous ceux qui ont subi les horribles conséquences de ces décisions ? Décisions ayant porté atteinte à l'intégrité des citoyens, à celle de ma fille et à la mienne en tant que mère. Je comprends tellement le refus de s'impliquer ! Mais laissez-moi crier ici, dire mon amertume…

À la suite de demandes d'aide auprès de tous les organismes qui existent et de ma déconvenue face à eux, c'est la tiraille… Que puis-je espérer alors que je suis en train de tout perdre ? Mes tentatives de poursuites judiciaires n'ont mené qu'à des échecs. Que pouvais-je espérer d'autre de ces renégats masqués qui gouvernent le flot quotidien de nos vies ? C'est laid et sale à voir et tout aussi avilissant que les gestes commis contre ma fille de neuf ans, sans défense, innocente et en danger ! S'il vous plaît, que l'on reconnaisse l'erreur civile ! Il est vrai que j'aurais dû avoir des assurances… Mais, en aucun temps je n'ai voulu reconnaître le risque. Pourquoi ? Parce que je refusais de considérer même la possibilité du risque.

À l'époque, il m'aurait suffi d'être dans de meilleures dispositions pour obtenir une meilleure opinion juridique et prendre cette décision, et où cela m'aurait-il menée ?

Je ne sais pas…
« Qui nous dira
Ce qu'on fait là
Dans ce monde
Qui ne nous
ressemble pas[27] »

J'ai besoin d'aide pour maintenir une santé idéale, obtenir un travail adapté à mes compétences et convictions, entamer un recours personnel ou collectif au civil et inscrire un plaidoyer de reconnaissance d'erreur civile pour l'irresponsabilité des autorités carcérales qui, dans les années 80 et 90, ont pour des raisons

---

27   Paroles de la chanson *Petite musique terrienne* de STARMANIA.

économiques remis en liberté conditionnelle nombre de criminels dangereux.

Comment m'y prendre ?

J'ai fait des appels et des appels à tous les organismes susceptibles de m'assister dans mes demandes d'aide. Certains m'ont accordé de l'attention, de l'intérêt, de la curiosité, puis tous ont laissé tomber ou se sont offerts pour passer le relais, ce à quoi certains n'ont jamais fait suite. Pas dans ma cour ! Allez voir de l'autre bord de la clôture !

C'est devenu aliénant de se répéter !

J'ai l'idée d'enregistrer mon histoire en audio et de faire écouter ma présentation à quiconque sera sollicité pour de l'aide la prochaine fois. Juste d'y penser m'apaise l'esprit pour un instant, puis je me dis :
« Donna, laisse tomber, lâche prise ! »

Pas de pouvoir, pas de réalisation !
Un vent glacial parcourt ce printemps !

Je ne peux laissez passer ce laisser-faire ! J'exige une réparation ! J'ai la ferme conviction de m'être fait voler mon enfant et ça depuis le tout début !

Je suis citoyenne et maman d'une enfant assassinée parce que quelqu'un ou un groupe de personnes ont abusé d'un système, provoquant ainsi la situation aberrante de laisser des individus dangereux en liberté. Il faut réparer la faute !

Je veux m'affirmer en tant qu'adulte signifiant, représenter monsieur et madame tout le monde. Rétablir l'équilibre en exigeant des comptes... en refusant d'abdiquer !

Je veux vivre dans l'intégrité !

...

Un matin de déprime, en ouvrant le journal, j'apprends l'existence d'un organisme en France, l'Ange bleu[28]. Cette association vient en aide à des pédophiles abstinents et repentants. Cet article soulève le voile sur leur condition en des lieux de rencontre où ils ont la possibilité de s'exprimer sur leur vécu afin de s'entraider à désamorcer le contenu de leur réalité intérieure et à éviter le déclenchement du comportement qu'ils ont du mal à réprimer, avant que celui-ci ne devienne une seconde nature, criminelle, celle-ci.

L'Ange bleu suggère un document : *Ensemble, faisons parler le silence,* permettant de poser un regard clair et plus attentif sur la pédophilie. À tous, et spécialement aux pédophiles, aux ex-auteurs de crimes et aux victimes, on pose cette question : une rencontre réparatrice est-elle possible ? L'organisme existe pour offrir un lieu à ces gens, incluant un droit de parole et aidant ainsi plusieurs membres à agir sur leurs pulsions, lesquelles ont tendance à se résorber quand ceux-ci sortent de leur isolement. Ils en viennent à contrer leur état culpabilisateur en le remplaçant par un nouvel état de conscience leur permettant de faire

---

28   http://www.ange-bleu.com/actualites.php L'Ange bleu, Association nationale de prévention et d'information concernant la pédophilie, présidé par Latifa Bennari.

de nouveaux choix cohérents avec leur volonté d'agir et de se réinsérer dans la société avec l'aide, le support et l'engagement proposés.

Enfin de légères et possibles éclaircies sur l'aide prodiguée à ces criminels en puissance avant que tout dégénère !

Ça me donne de l'espoir sur l'évolution de notre monde et la réduction de ces massacres d'humiliation de nature sexuelle !

Madame Bennari prétend qu'au stade initial du comportement (la consommation de pornographie juvénile sur le Net peut être un indice), l'acteur prend conscience du tort qu'il fait, tant à autrui qu'à lui-même, a besoin d'une aide appropriée. S'il ne l'obtient pas, il s'enlise alors dans un « salissage » intériorisé d'abord, puis manifeste ensuite, au point de ne plus pouvoir sortir de cet univers morbide et pervers.

Curieuse de ce qui se passe sur l'autre continent, je laisse mes coordonnées pour joindre mon histoire à celles cumulées au cours des plus de trente ans d'expérience de madame Bennari.

Elle répond tout de suite à mon courriel en m'avouant que, de toute sa vie, elle n'a jamais rencontré de cas semblable à celui de ma fille et à ma façon de réagir à son décès et qu'il lui semble impératif de le présenter à ses membres lors de soirées de partage. Elle m'a aussi demandé l'autorisation d'inclure mon histoire dans son document qui sera publié et distribué aux professionnels qui sollicitent son expertise. Madame Bennari souhaite d'ailleurs exporter son organisme hors continent en tentant d'obtenir une reconnaissance internationale, puisque les cas qui lui sont soumis proviennent de partout dans le monde et surtout de la communauté des psychiatres.

Quelle famille n'a pas son histoire d'inceste? Cela existe depuis le début des temps. D'aussi loin qu'on puisse remonter dans l'histoire de l'humanité, bon nombre d'individus se sont vus, se voient ou se verront confrontés (en tant qu'agresseur ou victime) à ce genre de situation à laquelle ils réagiront soit par la force, la Loi ou la conscience les rappelant au respect de leur vie propre et de celle de l'autre.

Madame Bennari a son lot d'activités, et s'il existe un espoir de participer à l'agrandissement de sa mission, je suis vendue à l'idée que des gens comme Daudelin puissent avoir à leur disposition des moyens pour freiner leurs pulsions dès le début. Elle-même victime de pédophilie toute jeune, elle sait reconnaître chez les agresseurs les dispositions menant à cette dynamique de crime.

C'est à suivre...

Une rencontre inattendue mettant en doute un deuxième agresseur!

Peu de temps après le procès, je reçois un appel d'une journaliste qui souhaite me mettre en communication avec un individu qui aurait de l'information au sujet du décès de ma fille. Je suis libre d'accepter ou de refuser. Elle mentionne qu'elle le connaît et lui fait confiance, que ses propos semblent tenir la route et qu'il est connu des enquêteurs de la Police de Laval pour les avoir déjà rencontrés et téléphonés à plusieurs reprises.

Pendant notre discussion au téléphone, il affirme que lui et deux de ses amis ont déposé une déclaration solennelle à la Police de Laval concernant l'enquête sur les circonstances du décès de Joleil et qu'il possède des informations susceptibles de m'intéresser au plus haut point. Il mentionne également sa hâte de me rencontrer, évènement qu'il attend depuis vingt ans.

Je suis quelque peu déconcertée, à la fois sur le qui-vive et sur mes gardes.

Tiens, j'en profite pour faire d'une pierre deux coups et je décide d'aller le rencontrer et de rendre visite ensuite à un ami de longue date qui habite le quartier où l'on s'est donné rendez-vous.

La rencontre se passe à une heure trente de chez moi, dans un café de la rue Principale.

Après les présentations et la commande d'un café, il s'assure que je suis bien assise.
Suite aux quelques bribes d'explication de son introduction, je suis une fois de plus à la renverse ! Je me lève en m'excusant, j'ai le cœur qui s'agite ; je dois déloger ce stress subit en allant faire quelques pas rapides, de long en large dans la pièce, avant de revenir m'asseoir.

J'ai peine à croire le moment que je vis…

Il me demande si durant l'enquête, en 1995, on m'a présenté un portrait-robot dans le but d'identifier un individu ; quelqu'un que je connaîtrais.

Négatif.

Les informations qu'il me débite ensuite, en série, me forcent à faire des liens s'étalant de la disparition de Joleil jusqu'au procès. Je ne peux pas écarter cette nouvelle étape relative au décès de ma fille, puisqu'elle s'appuie sur mes questionnements qui jusqu'ici sont demeurés sans réponses.

Sur le coup, et faisant appel à mon attention face à ces nouvelles informations, il me révèle avoir eu une vision particulière du monde parapsychologique.

Il me mentionne qu'en juin 95, avant que la police ne retrouve ma fille, il avait confirmé à deux de ses amis l'endroit où se trouvait le corps de Joleil, et ce avant même que TVA n'en fasse l'annonce officielle à la télévision. Cet endroit était bel et bien le ruisseau, derrière la maison. Il avait vu une grosse roche qui la maintenait au fond.

Je prends le temps de lire la déclaration solennelle dans son dossier - assez épais d'ailleurs - qu'il tient à jour depuis presque vingt ans. Je demeure silencieusement étonnée tout autant qu'impressionnée des déclarations faites à la police concernant ce que ma fille aurait vécu aux mains d'un ou deux agresseurs. Il me rappelle que ces informations, il les détient depuis tout ce temps.

Silence.

Il m'observe, attend ma réaction. Et moi d'ajouter :

— Je me rappelle très bien qu'à l'époque, un enquêteur m'a laissé entendre quelque chose du genre : «Eh bien, Joleil aurait été bien malchanceuse de rencontrer, dans la même journée, un agresseur sexuel et un assassin !»

Des liens, des questions, que dois-je faire avec ça ?

Il attend un peu, on jase de tout et de rien pour décompresser. Toujours bienveillant à mon égard, il me demande si je me sens assez à l'aise de voir un portrait-robot qu'il avait faxé personnellement, en juin 95, à l'enquêteur, sergent de la Police de Laval.

Je le regarde, prends mon temps, fais le vide, et…

J'accepte, à la fois curieuse et confiante, puisque ce document fait partie du dossier de l'enquête.

Je suis déconcertée à la vision de cet individu dont il aurait dessiné le portrait-robot au moment même de la disparition de Joleil ! Ça ne se peut pas, mais en même temps, j'éprouve un malheureux doute.

Il me demande si je reconnais ce personnage qui ne ressemble pas du tout à Daudelin !

Ma réaction est vive et intérieure ! *Selon cet homme qui me semble «de confiance», je devrais reconnaître cet individu ?* Encore sous l'effet de l'étonnement, je me rappelle mon rôle : je suis la mère et non l'enquêteur. C'est à la justice de faire son travail.

J'observe le portrait-robot, ça ne me dit rien. J'ai un petit choc, mais… je laisse l'idée de côté. Il y a vingt ans! Ça prendrait un ajustement de vieillissement peut-être…

C'est assez pour l'instant! Si ce portait me dit quelque chose, je le laisse de côté en attendant. Puis je me détends, essayant d'entrer dans une sorte d'indifférence, même si je réalise que mon monde vient une fois de plus de basculer et que ma marche par en avant a déjà commencé à prendre une tout autre direction.

Plusieurs pensées se percutent dans ma tête en quelques secondes… Un autre café, s'il vous plaît, après on se commande à manger, c'est bientôt l'heure du souper. J'ai besoin de temps pour digérer tout ça…

Il me présente son dossier – assez volumineux et impressionnant – contenant plusieurs années de recherches concernant l'évènement ainsi que plusieurs photos des lieux.

Il me mentionne qu'il a travaillé plus de vingt ans dans le domaine de la justice et de la santé. Je le sens crédible et sérieux dans ses démarches. Depuis le début, il s'interroge sur la mort de ma fille, car il a observé plusieurs irrégularités et croit fermement que Daudelin n'était pas seul!

Il me permet de divulguer le portrait-robot tout en conservant son anonymat pour le moment.

Malgré la compréhension que me demande cette retenue, je serai discrète. Moi-même, tout autant que mon entourage, en avons assez de cette histoire qui persiste dans le temps…

Et, encore une fois, je dois garder le silence…

Je vais aller me reposer l'esprit pour laisser tout ça décanter. Nous en reparlerons au téléphone pour reconsidérer l'ensemble de la situation et échanger quelques autres informations qui pourraient nous venir à l'esprit entre-temps.

Sur le chemin du retour, je n'y crois pas ! J'ai peine à réaliser l'ampleur possible d'un autre drame émotionnel à l'horizon si de nouvelles vérités sont mises au jour. Durant un court instant d'angoisse, je perds totalement mes moyens même si je crois saisir les bonnes intentions de cet homme…

Je ne peux malheureusement l'exclure du déroulement de ma vie actuelle…

Bout à bout, ses interrogations ont du sens et je fais rapidement des liens avec toutes les questions restées en suspens depuis la disparition de Joleil. Certaines viennent justement s'ajouter aux questions soulevées durant le procès ! Cet homme a un désir fou d'aller de l'avant et il a besoin de ma participation, ce à quoi je n'ai aucune objection. D'autant plus que, possédant une expérience de plus de vingt ans en tactiques d'intervention physique et psychologique, il dit refuser d'autres affaires du genre. Il aimerait conclure puisqu'il est impliqué profondément depuis la disparition de Joleil.

En route, j'appelle à l'aide une personne de confiance que je crois capable d'accueillir mon bouleversement. Après avoir résumé ce que je vivais dans une phrase à ne pas tenir debout, il avance doucement ces paroles, me disant simplement :

– Bénis la situation ! Ce ne sera ni pour le pire ni pour le bien, mais pour le mieux.

– Merci ! C'est tout ce que j'avais besoin d'entendre.

C'est Samedi saint et, en cette nuit où s'annonce la Résurrection, je poursuis, au repos, la chevauchée épique associée au drame de ma fille…

Hier, j'ai participé pour la première fois au chemin de croix de la paroisse où je suis catéchète bénévole pour les parcours d'initiation sacramentelle de la confirmation. Nous avons marché durant quatre heures au soleil frais du printemps, portant à tour de rôle la croix de bois à l'épaule ; c'est un peu mon pèlerinage à Compostelle. C'est un fait : ma vie ressemble à ce pèlerinage de Compostelle…

Moi qui croyais avoir à fermer les dernières pages d'un livre… J'ai l'impression d'être au début d'un autre grand virage, sans possibilité de faire marche arrière, dans le genre : la saga se poursuit…

…

En après-midi, je vais rendre visite à mes anciens voisins. Ils sont tous à la maison et je discute avec eux de la possibilité d'ouvrir de nouveaux questionnements ; je leur demande de me faire part de toute information qui leur reviendrait en mémoire. J'énonce certaines évidences qu'ils ne peuvent remettre en question. Une part de vérité manque à l'aboutissement de ce procès.

Un des voisins relève une information qui m'avait échappée depuis la disparition de Joleil. Un détail impliquant une personne-clé depuis le début. Encore un lien ! Une personne dont je n'aurais pas eu à me méfier... Je demande une confirmation de cette information qui sera transférée à mon homme de confiance.

...

Entre-temps, je reprends mes cours de gymnastique chinoise. Bénéfique !

Dans plus d'une semaine, les trente jours de possibilité d'en appeler de la sentence et du verdict seront passés, je prépare donc mes questions à l'enquêteur-chef. Je sens déjà un peu de résistance. Je suis certaine qu'il n'aimera pas ça !

...

D'un autre côté et dans le même temps, je me questionne à savoir si je vais m'impliquer dans l'organisme de l'Ange bleu. Latifa m'envoie des courriels et me met en communication avec des gens du Québec qui s'intéressent à son projet. Elle a l'idée de me former et me fait parvenir de l'information sur le sujet de la pédophilie... Ai-je la concentration nécessaire pour tout absorber en ce moment ? Je veux bien aider, mais... ça prendra toute une équipe ! Ce sujet est si délicat, sinon à la limite tabou !

...

Les trente jours de doigts croisés sont terminés. C'est le temps d'entrer en jeu. J'ai des questions à poser et je veux revoir les vêtements de Joleil. Remplie d'un enthousiasme modéré, je fais parvenir une demande de rendez-vous par courriel à l'enquêteur-chef dont la réponse tarde à venir.

C'est un homme aux lourdes responsabilités, je lui laisse le temps nécessaire.

Il m'appelle finalement et m'annonce qu'il ne peut répondre à ma requête, sans qu'il lui soit possible de me transmettre les raisons de ce nouveau délai. Puis, il ajoute que d'ici septembre, ni lui ni les procureurs ne pourront donner suite ou émettre des commentaires. Il y va du domaine fédéral alors que la police tient du municipal.

Autre « BOUM ! »

Autre attente !

...

Lors d'une conversation avec ma voisine, je me questionne sur le fait de poursuivre mon métier d'éducatrice en personnage déguisé. Celle-ci m'offre aussitôt de me confectionner un costume. Je suis poussée à l'action et, en quelques heures à peine, l'ensemble est complété. Coïncidence je rencontre en même temps, quelqu'un qui me parle des clowns d'hôpitaux[29]. Ceux-ci travaillent au bien-être des enfants malades et des personnes âgées. Il m'offre de lire *Clowns d'hôpitaux c'est du sérieux !*[30] Cette initiative pourrait être intéressante. Encore à suivre...

...À la demande d'une amie qui possède un gîte du passant dans la région, je reçois l'offre de donner une conférence sur

---

29   Jovia, l'art qui fait du bien dans jovia.ca.

30   Michèle Sirois, Éditions La Semaine.

mon histoire la semaine suivante, jour de mon anniversaire, le 11 juin.

Neuf personnes sont présentes à cette soirée. Pour la plupart, elles viennent se rassurer quant aux émotions intenses qu'elles ressentent. Je sens que mon histoire et les quelques outils présentés transfèrent en elles ma force de détermination devant l'épreuve. Certaines ont fait la paix avec d'inéluctables épreuves. Je suis comblée! Des rencontres sont prévues en automne pour répéter l'expérience et pour donner suite aux apprentissages transmis.

Le lendemain, c'est le jour de l'anniversaire du décès de Joleil, dans l'attente de la fin réelle du procès et de ses suites, je décide de planter près de chez moi un arbre symbolique en rappel de tout l'amour qui lui est dû.

L'arbre planté à son école en 1995 a subi les affres du verglas l'hiver dernier et il n'a pas survécu. Coïncidence, cet évènement est survenu durant l'année du procès.

Avec l'aide de mes voisins, la transplantation débute et se termine le même soir devant un magnifique coucher de soleil. L'arbre a été choisi avec amour, tout comme son emplacement. Je suis ravie d'avoir créé ce lieu nouveau et intime en la mémoire de ma fille. Le décor est exceptionnel: aux abords d'une piste cyclable, tout près des autres arbres bien alignés. Je vais régulièrement l'arroser et prendre une pause sur une grosse roche tout près, à contempler l'espace et à respirer à fond, oxygénant mes cellules. Ce parcours de vie qu'est le mien me chavire encore et je profite de ces rendez-vous pour me réconcilier avec la douceur féroce du temps.

Au cours de l'été, j'en profite aussi pour réviser mon projet d'écriture ; faire des recherches sur l'aide qui me permettrait de faire valoir mes droits ; découvrir les joies de la poésie ; visiter mes amis et m'en faire de nouveaux ; descendre la rivière en kayak ; camper et nettoyer une partie d'une épaisse et sombre forêt noire… me baigner et me laisser flotter… poursuivre mes cours de taï-chi / chi-gong et récupérer de l'énergie à l'extérieur…

Depuis le procès, l'entrevue à la télévision avec Denis Lévesque a repassé à plusieurs reprises. Du coup, je reçois des messages de soutien tous aussi beaux les uns que les autres. Ça fait du bien !

Quand je le dis à ma mère… elle trouve ça tout aussi naturel qu'étonnant que ça se passe bien pour moi.

…

À la suite du procès et des dix rencontres hebdomadaires avec la psychologue, tout s'agite en profondeur et maints évènements viennent renforcer mon besoin de me garder debout ; les difficultés sont loin derrière ou loin devant… Ma vie m'apparaît dans un tourbillon d'aventures toutes plus exceptionnelles les unes que les autres ; tranquille à la maison, je sors peu pour conserver l'énergie déployée à ce livre et…
Et, si cela ne mène nulle part ? Je doute de tout !

L'écriture de ce livre me demande du repos. Certains après-midi, je fais la sieste, car il devient très lourd de me sortir de cet engourdissement… du passé ! Pourtant, mes nuits sont heureuses et complètes de sommeil. Par contre, je me sens plus agitée lorsque je songe à retourner au travail, me sachant en réorientation sans aide ni accompagnement. Les services offerts aux personnes avec des défis particuliers sont limités ou onéreux, ils sont généralisés à l'ensemble de la population alors que mon cas me semble une exception. Enfin, c'est peut-être le quartier, le secteur... ou moi.

Le 31 juillet 2014

Deux mois après le verdict et la sentence de Daudelin, la Cour suprême du Canada refuse la condamnation[31] de prison à perpétuité, compte tenu de la façon dont été obtenus les aveux lors de l'opération d'infiltration «Mr Big». Selon eux, les résultats de cette technique doivent être évalués au cas par cas. Une recommandation est faite aux procureurs de la Couronne.

Daudelin peut en appeler de la sentence sur l'accusation de meurtre au premier degré. Comment savoir ce qu'il compte faire? Tentera-t-il de gagner du temps? Il a besoin d'un avocat... En tout cas, il aura plus de chance que moi d'en obtenir un! Moi qui désire une reconnaissance d'erreur et un recours collectif en réparation des lourdes décisions du ministère de la Justice dans sa libération de détenus ayant causé la mort et la disparition de plusieurs enfants dans les années 80 et 90. Moi

---

31   «Dans une décision unanime, le plus haut tribunal du pays conclut que les règles ne protègent pas adéquatement les droits de la personne visée par une opération d'infiltration de type «Mr Big»», Ici Radio-Canada.ca.

avoir droit à un avocat ? Pas question ! Qui se mouillera pour cette cause ? L'appel est lancé.

J'espère la lumière sur cette affaire et que cela se fasse au nom de tous les parents qui s'inquiètent ou se sont inquiétés pour la sécurité de leur famille. Je veux que l'on rende justice à la mémoire de ma fille, je persiste à y croire… Oui, certaines personnes ont de graves problèmes qui peuvent mettre notre vie en danger. Qu'on se le dise ! Protégeons nos vies contre les inégalités de gestion, le manque de conscience et de discernement, l'indifférence envers l'individu et, par conséquent, envers le bien commun.

Une journaliste me rejoint pour recueillir mon opinion sur la décision de la Cour suprême. Je ne puis qu'être d'accord si cette décision ouvre la porte à de nouveaux dénouements puisque, selon moi, tout n'est pas encore clair dans le dossier de Daudelin. Faute de réponse, je me pose la question :

– Et si Daudelin n'a pas tué ma fille, qui donc aurait commis le geste ?

Un assassin court-il toujours ou quelqu'un de son entourage sait-il quelque chose ?

Est-ce si difficile de faire dire la vérité à quelqu'un ? Daudelin a-t-il passé le test du détecteur de mensonges ? Protège-t-il un suspect possible ? Tant de questions laissées sans réponses.

D'une certaine façon, ce type est assuré que le travail des autorités s'exécute selon les règles de l'art… du droit et de la sécurité ! Mais de quel droit s'agit-il ? Et de quelle sécurité ? Ceux des criminels ? Si c'est comme la langue de bois dans le secteur médical... Nous sommes tenus dans l'ignorance la plus totale, mission accomplie !

14

UNE VIE À RESTRUCTURER

J'ai dû expérimenter avec toutes sortes de théories et de techniques alternatives, que l'on pourrait qualifier de thérapies brèves ou populaires.

Cette énergie en moi, qu'est-ce que c'est? D'où ça vient? À quoi ça sert? Ne pas savoir comment faire, cela doit bien servir à autre chose qu'à faire du tort! Moi, remplie de bonne humeur, d'enthousiasme et de dynamisme!

Durant ce chemin de rétrospection, j'ai souvent entendu et retenu des paroles du genre : Prends soin de toi... Tout part de soi... Moment présent... Ça t'appartient... Ça ne t'appartient pas... T'es où là? Elle ne se voit pas ou elle ne veut pas voir. Tu es trop dans ta tête... Descends dans ton cœur... Tu n'es pas enracinée, pas centrée... Et quoi encore?... Je veux bien, mais montrez-moi quelqu'un! En plus de ne pas savoir respirer comme il faut...

Lors d'un abandon à moi-même, un jour, un intervenant m'a fait vivre l'expérience d'une technique de respiration assistée et je me suis branchée à l'écoute de mes émotions. D'après ce que je comprends, les émotions contiennent beaucoup d'informations! Elles donnent le signal qu'une énergie propre est bloquée, empêchant toute existence vivante et créative. Cette même énergie cherche un chemin de sortie pour arriver, à travers la douleur s'il le faut, à dépasser l'épreuve, à expérimenter des possibilités infinies, à découvrir des dimensions inconnues de notre propre vie. Une des solutions proposées est l'inversion du désir[32] pour combattre ses démons intérieurs en y faisant face et non en les fuyant. Salomé parle aussi de désir caché derrière chaque peur[33].

Maintenant, lorsque j'ai de la peine, je pratique l'exercice de la laisser monter comme une vague, de la sentir, de l'accueillir. J'accepte de sentir la douleur cachée dans une expérience passée inachevée, mais aussi, après avoir fait un bon ménage dans mes pensées, de rendre grâce à l'immensité de l'amour contenu dans ses sous-entendus. Faute d'être reconnue, la peine s'active à cause de la douleur réactive et des distractions inconscientes qu'elle suscite. Si elle n'est pas reconnue, elle reviendra frapper à la porte du cœur et du corps, voulant se faire entendre, accueillir et respecter. Ainsi, toutes les pensées disproportionnées associées à ces douleurs réprimées sont à la source d'un trouble généralisé. Oui, j'en ai fait des erreurs… mais tant qu'à vouloir gérer, pourquoi ne pas être consciente de la désespérance qui m'habite en surface ou en profondeur si je veux mieux faire surface ?

À défaut de pouvoir expliquer tous ces concepts abstraits à mon entourage et d'en être comprise, je me suis rendu compte que tout ça n'appartenait qu'à moi-même. Je ne réalisais pas encore qu'il était possible de survivre à un tel drame tellement

---

32 *La méthode TOOL'S.* Phil Stutz & Barry Michels.
33 *Contes à guérir, contes à grandir*, «Le magicien des peurs», p. 17, J. SALOMÉ.

le désarroi prenait toute la place. Ce passage m'aura permis de chercher, de découvrir et de confirmer, qu'avec le temps, l'amour, sous le couvert de la souffrance, est paisible et omniprésent. Mon désir de renaître à la vie m'a servi de bouclier pour traverser l'épreuve de la souffrance.

Mon cheminement de pensée jusqu'à ce jour ? Il est issu de chassés-croisés chaque fois que je ressens la nécessité de justifier mes actions et de l'appui de quelques lectures auprès de plusieurs grands initiés de la psychologie dynamique.

Personnellement, je fais mes liens, qui ne sont parfois que des hypothèses... Mes recherches sont limitées, car ce qui suit n'est que le fruit de mes observations et réflexions, sans plus.

Par exemple, je m'interroge sur la quantité d'information contenue dans une émotion, cette entité non mesurable et négligée encore par la science. Les évènements passés ou à venir peuvent-ils être associés à ma biologie, à mon bagage génétique, à une notion plus grande que moi ? Prenons la tristesse, par exemple, celle du deuil à la suite d'un décès. Cet évènement fait resurgir des émotions concomitantes à toutes les pertes subies à ce jour. En l'absence d'information mesurable, on observe toutefois des effets réactionnels différents chez les uns et les autres, suscités par des régressions par l'image, par une substance énergétique variable.

Dans mon cas, j'ai opté pour une évolution progressive dans mon corps et dans la gestion de mes émotions. La modification de la pensée et de la perception est instrumentale à cette évolution qui s'ouvre sur de nouveaux paradigmes de vie. Voilà pour moi le précepte le plus utile pour me simplifier la vie.

C'est à ce jour ce que je me suis proposé d'observer, tout comme le symbolisme proposé par Jacques Salomé et qui m'a apporté une aide précieuse dans le règlement des conflits intérieurs induits par les pensées et les émotions. Jacques Salomé précise dans un extrait sur la symbolique[34] que celle-ci ferait office de pont, de passerelle entre le mental et l'inconscient, qu'elle permet de résoudre l'équation, de trouver le parcours à achever. L'être s'empêche souvent de vivre certaines expressions de vie plus saine, captif d'un inconscient qui le mène dans des agissements incomplets et persistants.

J'ai pu saisir en partie, certains points inexpliqués de mon comportement dans un atelier sur l'abandon dans lequel je me suis tournée vers d'autres questions : pourquoi une personne est-elle fuyante ? Comportement qui a été le mien pour avoir subi le rejet. Qu'est-ce qui fait qu'une personne est dépendante ? Entre autres, parce qu'elle a subi l'abandon, ce qui l'invalide dans sa construction, sa programmation de l'avoir et du faire, tout comme le fait qu'une personne est masochiste parce qu'elle a subi l'humiliation. Qu'est-ce qui fait qu'une personne est devenue contrôlante ? Elle a subi la trahison. Et d'où vient la rigidité ? De l'injustice. Il faut d'abord prendre conscience de ces petits et grands artéfacts, nourris par la rébellion, les identifier en soi pour arriver à les surmonter.

Il y a du pain sur la planche…
Je n'hésite pas à persister dans le magasinage, puisqu'un jour je sais que la route s'ouvrira d'elle-même devant moi, à force de conviction.

---

34   Passeur de vies, p. 211.

J'ai suivi des ateliers, fait des recherches, mis à l'essai de l'information et conjuré des parallèles et des perpendiculaires à ce désir d'introspection pour devenir un meilleur être humain. Pourquoi m'importe-t-il de devenir un meilleur humain ! Je ne m'engage dans aucune autre cause, car plus je vieillis, plus je deviens grande et plus je deviens grande, plus j'aime et plus j'aime, plus j'aime aimer !

Dans ma conviction profonde, aimer en langage écologique est « prendre soin de ». L'amour est de loin la valeur la plus obscure puisqu'elle est adjacente à la souffrance, mais c'est la plus précieuse de la vie puisqu'elle impose une procréation. Tout en reconnaissant bien l'existence de ces deux extrêmes : amour et souffrance, je les vois séparés par une ligne ininterrompue, passant de l'une à l'autre de manière fluide ou statique.

Jésus disait[35] : « Aimez-vous les uns les autres… », « … Aimez vos ennemis… » Mes ennemis ont parfois été les gens que j'ai le plus aimés. N'ai-je pas moi-même parfois été mon pire ennemi pour ne pas avoir eu en ma possession les outils nécessaires pour mieux me traiter, pour faire le ménage de ma vie ? Mais j'ai survécu à mes souffrances et j'y survivrai en recherchant des témoins signifiants et de confiance, en poursuivant incessamment un meilleur chemin à emprunter, en mettant un pied devant l'autre pour le mieux comme on dit ! En changeant mon fusil d'épaule aussi, en doutant, en me remettant en question.

J'avoue me sentir engagée dans une mission très difficile et quasi impossible parfois. Entre autres, celle d'affronter ma

---

35   Dans la Bible, Jean 15,12 et Matthieu 5,44.

propre désolation et de faire face à la réalité que les victimes vivent plus souvent dans la dualité.

Sans vouloir faire d'ironie, si les victimes n'ont pas d'avenir, c'est qu'elles sont enterrées ou incinérées. Dans le cas de ma fille, je suis victime indirecte d'un acte criminel. C'est ma maternité, avec elle, qui m'a été enlevée. Puis-je survivre à cela? J'ai besoin d'une autorisation pour vivre en paix avec la mort de ma fille! Me poserais-je cette question si sa mort était survenue dans d'autres circonstances. Si j'ai des croûtes à manger, je veux manger les meilleures et je veux aussi les partager. Le sentiment de ne pas en vouloir à quelqu'un aide à se réconcilier avec la vie. Comprendre l'autre et comprendre ses émotions, c'est déjà être dérangé par rapport à son propre programme émotionnel et cognitif de base.

Ma dualité s'arrête ici. Je comprends et je sais que pour l'instant, c'est assez. Je suis plus ouverte sur mon senti et je suis plus stable, plus équilibrée. C'est quand même nouveau! J'ai donné accès à mon cœur pour qu'il s'ouvre et qu'il laisse passer son message.

...

Le chemin à parcourir pour me rebâtir ne sera et ne se fera pas sans embûches, mais j'ai des outils. Si j'en juge par les stades du développement psychosocial[36] d'un enfant en construction: la confiance, l'autonomie, l'initiative, la compétence, l'identité, l'intimité, la régénération et l'intégrité sont toutes à revoir dans mon cas. Non plus en surface, mais en élévation dans ma sphère de vie présente. Corriger la méfiance, la honte et le doute, la

---

36   Erik Erikson.

culpabilité, l'infériorité, la confusion des rôles, l'isolement, la stagnation et le désespoir, pour une nouvelle stabilité, c'est toujours possible. Je suis engagée à tellement mieux m'aimer, pour mieux aimer !

Me voici donc en mode solution : je dois reconnaître, accueillir, dire, respecter, rendre, faire, surtout reprendre mon pouvoir de paix profonde et en aviser l'autre ou les autres dans le respect et dans toutes les instances possibles. Prendre soin de mes besoins et désirs, soigner mes blessures, c'est une cause plus importante que celle d'entretenir mes souffrances. La joie a été et restera la force la plus vénérée de ma vie. Je la cherche désormais plus tranquille et plus profonde, cette joie. Ô combien !

Se connaître, connaître sa nature humaine : je possède un corps, il porte mon histoire biologique et ancestrale. À l'intérieur de ce corps, j'ai une âme, elle contient toute l'histoire de mes vies. Mon âme aurait choisi sa vie, sa mission. À l'intérieur de mon âme se trouvent mon essence, ma nature divine et profonde, Dieu ou « la toute-puissance supérieure » dans l'« Énergie universelle » se reliant au Tout. Ma personnalité et ma mission sont en quelque sorte en dualité. Entre mon ego « mental », mon âme, mon clan familial et ma famille d'âmes, se joue tout un scénario. Quand vient le temps de corriger une séquence, même en visant juste, la structure peut gronder avant de s'effondrer, se remodeler et se remettre à niveau. C'est la preuve vivante qu'aimer et rétablir le respect pour « reste-paix » est l'énergie active de toutes les énergies… Je suis imparfaite et c'est parfait ainsi !

La pratique d'arts martiaux doux[37], par exemple, me permet de vivre de nouvelles expériences, de m'extirper d'un trouble envahissant et de colmater ainsi mes vides dans un nouvel art de vivre et dans la recherche constante d'un savoir-être en mouvement. J'y ai appris la valeur d'un câlin[38] qui, après vingt secondes, libère les hormones du bonheur, comme l'endorphine, la dopamine et de l'ocytocine, efficaces pour apaiser la douleur et raviver l'énergie…

Avoir des rêves est un stimulus en soi, se fixer un but à atteindre, si modeste soit-il, est une mise à l'avant de son propre potentiel, une preuve de son existence.

Aimer ma fille pour ce qu'elle a été, c'est aussi aimer la vie dans l'espérance, avec et sans ses limites, à travers tous les enfants que j'ai côtoyés, que je croise encore et que je rencontrerai tout au long de ma vie. Je l'entends encore me dire :

— *Alors maman ? Tu continues la vie avec ceux qui t'entourent maintenant !*
— *Oui, Joleil !*

Tous les enfants du monde sont mes enfants.

Parents de tous les temps, s'il vous plaît, prenez soin de mes enfants.

Car, qu'on le veuille ou non, nous sommes tous reliés les uns aux autres[39]. Puis-je mieux connaître mon prochain sans mieux me connaître moi-même ?

---

37   Méditation, tai-chi, chi-gong.
38   http://bloguerose.ca/2013/03/01/le-pouvoir-des-calins.
39   Carl Jung.

...

Et j'ai pris soin de moi. De ma colère parfois. Imaginez n'importe quoi pour entretenir celle-ci. «Montrez-moi cette colère avec un objet quelconque!», aurait dit Salomé. Je n'ai eu aucun mal à évoquer toutes les raisons confirmant l'importance *in extremis* de maintenir cette colère vivante... comme s'il n'y avait pas de continuité réparatrice; alors arrive la possibilité de sentir mon sang faire marche arrière.

Exercices Donna! Les émotions se logent dans les muscles. Mental, cœur, action, tous alignés dans la même intention; dans l'action de déloger l'énergie avilissante, avec amour!

J'ai dû visiter un prêtre à l'occasion, et de laisser-là le tort qui m'empêchait d'avancer dans un meilleur équilibre. Libérateur!

Voici, en visualisation, ce que je fais avec ma peine. Il y a moi et il y a ma peine, il y a ma colère. Je ne suis ni ma peine, ni ma colère. J'accepte de les lier à ce qui est, ce qui a été et ce qui pourrait être. À les relier à mon vécu, à mon histoire... et à prendre soin de moi. Quelle délivrance que de mettre en place ses antécédents émotionnels dans une nouvelle circonscription!

...

Je viens d'assister à une rencontre de parents qui ont vécu des deuils d'enfants de toutes sortes, tous plus dévastateurs les uns que les autres. Ça remue les émotions, au moins pour vingt-quatre heures! Je suis épuisée. Au repos, je soulage ma peine et pleure après un bon bain chaud. Dans mon lit, je laisse aller mes émotions en tentant de me brancher sur ce qu'elles contiennent et je découvre que mes pleurs sont remplis d'amour, mais aussi de détachement! Mon Dieu, que je suis heureuse enfin de toucher à quelque chose de bon, de pur! Et je remercie l'univers qui m'entoure! Ce que nous portons est inimaginable! Nous, les parents dont le don de la parentalité a été brusquement interrompu.

Je vais me reposer là-dessus.

...

Un rêve qui me laisse perplexe : j'ai rêvé au frère de l'assassin de ma fille. Je sais pourtant qu'il est fils unique. Je l'observais de loin, du type rouquin au regard étrange. Tiens! Ce frère ne ressemblerait-t-il pas à ce type qui aurait assassiné un autre enfant? Mario Bastien[40]?

Je me suis laissé tomber le dos au mur et j'ai pleuré. *Mais qu'est-ce que je pleure là?*

Suis-je à pleurer le vide et sa profondeur? Et je réalise que j'ai la chance de pleurer... mon deuil. Non pas dans une conscience personnelle, mais cette fois-ci, dans une conscience collective... *Faire mon deuil, m'y revoilà!* De long en large, de haut en bas, je me rends compte que je suis toujours au centre, au cœur de toutes ces directions. À gauche, mon passé, à droite mon avenir. En haut : à gauche, mes ambitions, en bas mes illusions, en haut à droite, mes rêves, en bas à droite, mes limites. Cette année sans revenus, sans travail rémunéré, à piger dans mes économies, m'aura permis de prendre ce temps d'arrêt pour estimer la valeur de toutes les composantes qui constituent ma vie.

---

40 Reconnu coupable du meurtre d'Alexandre Livernoche, en 2000.

Je me demande comment je réussis à vivre dans la survivance. Je regarde autour de moi, je reconnais des êtres en survie et, tout de suite, je réalise qu'il y a fort longtemps que je survis.

Faire et refaire son deuil, c'est revisiter sa vie dans un champ de conscience spécifique où tout se défait et se refait dans le fil du temps… C'est aussi aller de l'avant, retrouver, dans l'honneur de toutes ces joies et peines de la vie, le plus beau et le plus grand à venir.

J'ai pleuré. J'ai pleuré la joie d'avoir eu ma fille durant neuf belles années. J'ai pleuré le bonheur d'avoir reçu en cadeau cette vie qui a changé ma vie et qui l'a abandonnée, laissant derrière elle un voile immatériel dans lequel je m'enveloppe comme dans une seconde peau, fragile comme celle d'un bébé nouveau-né.

Traverser l'épreuve du deuil fait peur, surtout lorsque sa finalité reste en grande partie dans l'ombre. Donner la main à ses forces et à ses limites, dans un engagement de fin d'étape, afin de se retrouver au début d'une vie nouvelle, c'est encore sortir du ventre de sa mère, enfin prêt à regarder la lumière sous un autre jour, sans savoir encore.

Quand je pleure, je réalise qu'il y a en moi à la fois la pénombre et… la force de la lueur dans ma vie qui cherche la Vie. Le soleil brillera pour moi ! Je me dois de basculer hors de la nuit quand viendra le jour.

J'aime… tout simplement comme la vie aime ceux qui aiment la vie.

L'attente est encore pesante. J'erre dans le temps et je n'existe plus que dans un passé où je reste accrochée, dans une histoire qui m'habite et m'entraîne vers une autre direction que moi-même. Je me médicamente intellectuellement pour vivre mon être en redéfinissant sans cesse ma conception de l'espérance.

Colère, pour les raisons qui t'appartiennent, merci de participer à mon émancipation, oraison cauchemardesque d'une équipée de mauvais choix. Je t'indique la sortie. Sors de mon corps, sors de ma vie ! Va ! Je n'ai plus besoin de toi maintenant. Je t'invite à te transmuter en pure Lumière et à intégrer d'autres espaces tous plus lumineux les uns que les autres.

J'aime dans la démesure et j'assure à nouveau l'équilibre de ma vie. Merci pour cette rencontre. Dorénavant, dès ton approche, je te sommerai à l'avance pour t'empêcher de m'envahir et je me montrerai reconnaissante de cet amour inachevé… J'y crois ? Comme aux résultats après les efforts ! Comme un enfant incapable de se porter lui-même, je me prendrai, dans mes bras de sa mère, des bras chargés de bonté et de respect.

…

CONCLUSION

Joleil a offert sa vie et son amitié au service de nos vies, de ma vie, et ainsi ira la suite. Je me donne le mandat de m'en abreuver même si le chemin pour créer dans ma tête de nouvelles racines a son lot d'embûches.

J'ai voulu exprimer dans ce livre ce paquet d'amour qu'a été la vie de ma fille dans ma vie ; ce fruit contenant le plus précieux des noyaux pour la continuité d'une Vie plus belle et plus grande encore !

De son vivant, ma fille n'aura été qu'une ode à l'amour ; elle l'est encore dans son autre vie. Allons débusquer dans nos cœurs la capacité d'être chaleureux malgré l'adversité ; reconnaissons l'unité parfaite de ces univers à notre portée et sachons mettre en commun ce qui nous concerne tous, ce dont nous sommes responsables, pour l'éveil d'une nouvelle conscience.

À la suite de cette lecture, pour ceux et celles qui désirent laisser questions et commentaires à l'adresse courriel suivante : joiesoleil2@gmail.com, il me fera plaisir de vous répondre.

TABLES DES MATIÈRES

MARQUIS

Québec, Canada

MIXTE
Papier issu de
sources responsables
FSC® C103567
FSC
www.fsc.org